Ursula Bolender

... und am Ende begann ich zu verstehen

Ein gewagtes Experiment

Ursula Bolender

... und am Ende begann ich zu verstehen

Ein gewagtes Experiment

TRIGA – Der Verlag

Bibliografische Information Der Deutschen Bibliothek
Die Deutsche Bibliothek verzeichnet diese Publikation in der Deutschen Nationalbibliografie;
detaillierte bibliografische Daten sind im Internet über http://dnb.ddb.de abrufbar.

1. Auflage 2006

Herzbachweg 2, D-63571 Gelnhausen
www.triga-der-verlag.de

Lektorat: Waltraud Steffens, Tavern

Druck: Verlagsdruckerei Spengler, Frankfurt/Main
Printed in Germany

ISBN 3-89774-471-6

... und wenn Du das nicht hast,
dieses Stirb' und Werde ...

Für Paula, eine große Seele

Inhalt

Venezuela, Maturincito, 29.10.2004

Ein Jahr ist es nun her.
Genau ein Jahr ist es her, als ich auf der Intensivstation des Krankenhauses vor Deinem Bett stand und wusste: Jetzt siehst Du wieder!
Ein Jahr ist es her, und doch ist alles so präsent vor mir, als geschähe es wieder und wieder. Ein Jahr ist vergangen, und doch ist die Intensität dieser letzten Tage deines Lebens so verdichtet, dass ich sie nur ganz allmählich in mein eigenes Leben integrieren kann, die Zeit betrachten lerne aus einem neuen Blickwinkel, mit Abstand, und begreifen kann, was damals geschah ...
Ein Jahr ist vergangen, und nun sitze ich hier oben, in der tropischen Gebirgswelt der Halbinsel Paria, in Venezuela, und erinnere mich ...

»Wozu brauchst Du ein Sabbatjahr?«, fragtest Du. »Was sind das für Ideen, nach Venezuela zu gehen? – Du hast doch Deinen Beruf, hast ein Kind, das Dich braucht ...«
Immer die gleichen Vorwürfe, mal ausgesprochen, wie damals, als Urs Dir von meinem Sabbatjahr erzählte; oft unausgesprochen und deshalb nicht weniger treffend, verletzend.
Wie ich sie hasse, diese Scheu in mir, Dir aufrichtig zu antworten, Dir das zu sagen, was in mir danach schreit, ausgesprochen zu werden: Es ist mein Leben. Das kann nur ich selbst leben. Ich muss mein Tun vor mir selbst verantworten können. Ich möchte nicht irgendwann voller Bitterkeit auf all die nicht gelebten Momente zurückblicken, möchte nicht einen Wust an unerfüllten Wünschen und Sehnsüchten in mir selbst begraben wissen. Ich möchte nicht andere in Schuldgefühle verstricken, nur weil ich selbst nicht bereit bin, meine eigenen Schatten anzusehen. Ich möchte das nicht. Zu oft sah ich sie in Deinem Blick, Mutter, die Enttäuschung über all die nicht gelebten Momente Deines eigenen Lebens.

Und mein »Kind«, das ist ein junger Erwachsener, der dabei ist, seinen ganz eigenen Weg zu finden. Und hier packt mich dann manchmal die Wut: Wie kannst Du mir vorwerfen, ich lasse mein Kind im Stich! Was weißt Du von dem Schmerz, den ich selbst lange so tief in mir vergraben hatte, weil ich das nie erfahren habe: Eine liebevolle Umarmung von Dir, ein Satz der Anerkennung: »Ich bin stolz auf Dich, mein Mädchen.« Was weißt Du von der Liebe, die ich dann in meinem eigenen Kind gesucht und gefunden habe? Was weißt Du von all dem?
Oder ist es nicht vielleicht doch so, dass Du das alles sehr gut weißt, es nur nie ausdrücken konntest, es nicht wirklich leben konntest, weil Du selbst wiederum in Deinen eigenen Schattenwelten gefangen warst, es einfach selbst auch nie erfahren durftest, was es heißt, einfach geliebt zu werden als das Wesen, das Du warst?

Ein Jahr ist vergangen seit Deinem Tod und heute ist es für mich so, als habest Du all das immer gewusst. Vieles in meinem eigenen Leben hat eine andere Färbung bekommen durch Deinen Tod, zeigt sich in einem anderen Licht, Einzelheiten treten stärker in den Vordergrund, scheinbar Wichtiges verliert an Bedeutung. Die Gewichtung hat sich verschoben.

Aus diesem Grund sitze ich hier und schreibe, versuche auf diese Art in Kommunikation zu treten mit Dir und weiß inzwischen aus vielen Gesprächen mit Frauen, dass es ein Gespräch ist, das auch andere Töchter mit ihren Müttern führen könnten, zumindest viele Frauen meiner Generation, die als Töchter längst selbst Mütter sind und so gerne alles anders machen wollten, sich dennoch oft bei dem Bewusstsein ertappen: Ich bin wie meine Mutter.

Heute, ein Jahr nach Deinem Tod, bin ich Dir vor allem dankbar: Dankbar für die Härte, die Du mir entgegengebracht hast: Ich konnte gar nicht anders, als weit weg von Dir mein Leben zu leben. Dankbar für den Ehrgeiz, den Du aus nicht gelebten Wünschen besonders Deinen Töchtern mitgegeben hast. Die Idee, von einem Mann versorgt zu werden, wäre Sonja und mir nie in den Sinn gekommen. Zu einer Zeit, als dieses Denken noch gar keine Selbstverständlichkeit war, hattest Du dieses Wissen tief in uns eingepf anzt: Eigenständigkeit, besonders in finanzieller Hinsicht, ist die Grundvoraussetzung für ein unabhängiges Frauenleben. Dass eine Frau ihre Existenz durch einen eigenen Beruf absichern sollte, bevor sie eine Ehe eingeht, darüber machte ich mir keine besonderen Gedanken. Es war einfach eine Selbstverständlichkeit und erst Jahrzehnte später wurde mir bewusst, dass Du in dieser Hinsicht eine sehr fortschrittlich denkende Frau warst, auch wenn Du selbst es noch nicht leben durftest, der größte Schmerz in Deinem Leben.

Du selbst als perfekte Hauswirtschafterin hast zwar irgendwie stets die Erwartung an Frauen gehabt, dass sie »das« können: einen Haushalt führen, nähen, kochen und vieles mehr, doch ich erinnere mich nicht daran, dass Du Deine Töchter darin unterwiesen hättest. Was zählte, war die Schule, die guten Noten, der berufliche Werdegang. Das andere konnte man nebenbei erlernen, denn darin lebten wir noch die traditionellen Frauenrollen: Mitarbeit im Haushalt war vorwiegend Mädchensache.

Es gibt heute vieles, wofür ich Dir dankbar bin, doch vor allem danke ich Dir dafür, dass ich die letzten sechs Tage Deines Lebens bei Dir sein durfte. Das war so wichtig für uns beide: für mich hier auf meinem Lebensweg und für Dich, da bin ich mir sicher, auf Deiner weiteren Reise ...

Und auf der Reise waren wir, als all das geschah ...

TEIL 1

1
Die Reise

Es gab eine Zeit, da wäre ein gemeinsamer Urlaub mit Mutter für mich undenkbar gewesen. Oder die Vorstellung gar, sich auf eine solche Zeit nur für uns beide zu freuen.
Und doch war es so, damals, vor einem Jahr, als Mutter sagte, sie würde gerne die diesjährige Saison-Abschlussfahrt mitmachen und ich spontan zusagte, mit ihr zu fahren. Es lag günstig, in meinen Herbstferien. In meinen Sommerferien hatte Mutter nicht viel gesehen von mir, da ich meine erste Gruppe nach Venezuela führte. Ich freute mich auf diese Wochenendreise, bei der man erst morgens im Bus erfährt, wohin es geht. Es ist eine Fahrt »ins Blaue«, die stets viel Anklang findet bei all den treuen Kunden des Busunternehmens, geführt von Mutters Bruder, der den väterlichen Betrieb übernommen hatte. Mutter identifizierte sich immer noch stark mit dem Unternehmen. Es war irgendwie auch »ihr« Betrieb, zumal sie lange Jahre ihren Mann, unseren Vater, auf seinen Busfahrten als Reiseleiterin begleitet hatte. Doch das ist ein ganz eigenes Kapitel ihres Lebens, ein Kapitel, von dem ich allmählich merke, dass ich das irgendwie weiterzuführen scheine ...

Deine Bedenken am Vorabend der Reise, ob Du denn nun wirklich fahren solltest, nahmen Sonja und ich nicht allzu ernst. Wir wussten das ja, wie oft Du vor den Fahrten mit Vater diese Bedenken hattest, ob Du denn weg könntest: die Arbeit, die liegen blieb, die

Erdbeeren, die zu pflücken waren, die Blumen, die versorgt und die Hühner, die gefüttert werden mussten ... Und stets war es gut, wenn Du dann zurückkamst, voller Energie, voller neuer Eindrücke, eine ganz Andere, der das Kennen lernen neuer Landschaften, die Begegnung mit anderen Menschen, das Gefordertsein in einem so ganz anderen Tun eine ganz neue Ausstrahlung verlieh. Wir genossen es, diese Seite von Dir zu erleben.

Diesmal betrafen die Bedenken, ob sie die Reise überhaupt antreten sollte, nicht mehr all die Arbeit, die liegen bleiben würde. Das hatte sich in den Jahren seit Vaters Tod vor vier Jahren mehr und mehr geändert. Körperliche Schwäche, ein krankes Herz, die stets schwächer werdende Sehkraft, inzwischen bis zur fast vollständigen Erblindung, all das hatte ein wachsendes Loslassen all der gewohnten Pflichten eingefordert. Mutter war gezwungen, sich mehr und mehr auf sich selbst zu konzentrieren.
Und wir, ihre Kinder und Enkelkinder, erlebten trotz des zusehenden körperlichen Verfalls auch eine ganz andere Seite an ihr. Mutter wurde eine Gesprächspartnerin, konnte sich begeistern für sportliche Ereignisse, sich heftigst aufregen über politische Themen, bewahrte aber bei all der Aufgeschlossenheit, die uns zuweilen angenehm überraschte, doch ihr angelerntes Schwarz-Weiß-Denken. Keiner wollte ihr das streitig machen, solange sie davon abließ, die Kontrolle über alles halten zu wollen. Ich für meinen Teil weiß, wie sehr mein Leben ihr geordnetes Weltbild zum Einsturz brachte, und irgendwann wusste ich auch, dass es nicht darum ging, ihre Ansichten ändern zu wollen oder gar eine Absolution für mein Tun von ihr einzufordern. Ich konnte nur meinen eigenen Weg aufrichtig weitergehen, ohne mich in alte Schuldgefühle verstricken zu lassen ... Und das scheint zur Lebensaufgabe zu werden ...

Es war also klar, dass wir die Reise machen würden. Wenn es nicht klappen sollte, wenn Mutter sich am nächsten Morgen zu schwach fühlen würde, könnte ich immer noch ein paar Tage bei ihr im Elternhaus bleiben. Doch das Schicksal hatte es anders vorgesehen, ganz anders.

So standen wir also frühmorgens am 24. Oktober 2003 unten am Busparkplatz. Mutter hatte bereits Bekannte getroffen, erkannte sie an ihren Stimmen und lebte in den Gesprächen sofort sichtlich auf. Es würde eine schöne Reise werden, und ich war vor allem auf das noch geheime Ziel gespannt. Mutter hatte so eine Ahnung, denn sie hatte gehört, sie sei da noch nicht gewesen. Deshalb wollte sie ja auch gerne dabei sein. Da ich bei all den Fahrten, die sie mit Vater unternommen hatte, nicht wusste, wo sie noch nicht gewesen war, musste ich meine Neugier zügeln. Allzu weit konnte es jedoch nicht sein, denn es war eine Wochenendreise, nur drei Tage unterwegs. Für Mutter und mich wurde es dennoch die längste Reise, gemessen an anderen Maßstäben.

Der Moment, als ich im Bus den Reiseplan zur Hand nahm, ist mir noch so gegenwärtig. Im Halbdunkel konnte ich auf dem Deckblatt nur zwei Worte erkennen »Abschlussfahrt« und »Berlin«. Es war eine tiefe Rührung in mir, eine Freude, gemischt mit einem anderen Empfinden, das ich nicht hätte benennen können.
Es war wie eine Gewissheit, dass diese Fahrt tatsächlich unsere »Abschlussfahrt« sein würde. Ich musste mir eingestehen, dass Mutter in kurzer Zeit alt geworden war: ganz schmal, fast durchscheinend, ohne Kraft. Und ich ahnte, dass die Anstrengungen einer Reise bald zu viel für sie sein würden. Es könnte tatsächlich eine »Abschlussfahrt« werden, ihre letzte größere Reise. Doch es wurde nicht nur unsere letzte gemeinsame Reise, sondern für Mutter tatsächlich die Abschlussfahrt in diesem, ihrem irdischen Dasein.

Ja, und dann war da auch Freude, so als habe sie mir eine Fahrt nach Berlin zum Geschenk gemacht. Keine Fahrt in die Berge, wie ich irgendwie vermutet hatte. Nein, nach Berlin ging es,

und ich hatte nicht mal gewusst, dass auf Mutters imaginärer Wunschliste »Orte, die ich noch sehen möchte« Berlin gleich neben New York stand. Mutter, die überall in Europa umhergereist ist, war noch nie in Berlin gewesen.
Erst nach Vaters Tod hatten wir erfahren, dass Mutter immer gerne mal nach New York gewollt hatte, Vater aber nicht bereit war, in ein Flugzeug zu steigen. Vielleicht also mit dem Schiff ... Vater starb zu schnell, und der Wunsch, New York einmal »zu sehen« würde sich aufgrund ihrer unheilbaren Blindheit in diesem Leben nicht mehr erfüllen.
Ich bin sicher, inzwischen hat sie New York aus einer ganz anderen Perspektive gesehen. Und zwar wirklich gesehen, denn das wusste ich im ersten Moment ihres Todes: Jetzt sieht Mutter wieder! Und sicher hat Vater nun auch keine Angst mehr vorm Fliegen ...

Nach Berlin also. Ob ich bei der Gelegenheit die Berliner Oma mal treffen könnte? Ein Besuch stand schon lange an, und ich würde es auf jeden Fall versuchen, sagte Mutter aber zunächst nichts davon. Die Berliner Oma, Mutter von Hari, dem Vater meines Sohnes, die gehörte zu der Seite in meinem Leben, die Mutter nie akzeptiert hat, die sie ablehnte und am liebsten ausblenden wollte. Den geliebten Enkel natürlich nicht. Diese Gefühlsbande bestanden von Anfang an. Und so wurde sie natürlich gerade durch ihn immer wieder mit dieser Seite seines und damit auch unseres Lebens konfrontiert.
Während ich mich stets bemühte, Themen, von denen sie nichts hören wollte, zu vermeiden war es für Urs einfach ein Bedürfnis, von seinem Vater, seiner Berliner Oma und ganz besonders von seinen Geschwistern zu sprechen. Wie feige von mir, diese Ausflüchte, und wie selbstverständlich war es zum Glück für ihn, zu seinem eigenen Leben zu stehen.

Die Frage, ob und wie ich die resolute alte Dame, sie war inzwischen 85 Jahre alt und immer noch sehr energisch in ihrem Auf-

treten, in Berlin treffen könnte, das würde sich vor Ort klären. Jetzt ging es in erster Linie um *unsere* gemeinsame Reise und ich würde Aufregungen von Mutter fernhalten.
Vielleicht war es gar nicht mal Feigheit, sondern auch eine gewisse Einsicht in Dinge, die man nicht ändern kann, eine Einsicht, die sich mit wachsender Lebenserfahrung einstellt. Und doch mag man sich das als Erwachsene oft gar nicht eingestehen, dass die Abgrenzung gegenüber elterlicher Bevormundung zuweilen ein lebenslanger Prozess ist. Es erfordert viel emotionale Kraft, bis man zu der Erkenntnis kommt, dass der einzige Weg nur über die Arbeit an sich selbst verläuft, niemals über das Verändern des anderen. Oft scheint der einzige Ausweg die strikte Trennung der Lebenswege, das Eintauchen in eine völlig andere Lebenswirklichkeit, um dort sein Leben »ungestört« leben zu können. Auch ich hatte das versucht, mein eigenes Leben völlig anders zu gestalten und bin froh, dass wir, meine Eltern und ich, dann auch noch einige Jahre der neuen Annäherung miteinander erleben konnten, in denen das Verbindende gegenüber dem Trennenden im Vordergrund stand.
Und dann erfuhr ich die größte Nähe zu Mutter in ihrem Sterben und ich bin überzeugt: Es hat etwas mit dem vielfältigen Thema des Loslassens zu tun, wenn nur noch das Wesentliche zählt, die Essenz dessen, was ein Mensch ist, gelöst von all den Rollen, die man im Leben so oft spielt.

So gibt es Momente im Leben, die so intensiv sind, so verdichtet, dass es lange Zeit dauert, bis sie sich in dem für uns fassbaren linearen Zeitablauf entfaltet haben, und immer haben solche Momente mit Liebe zu tun. Es gibt einige solcher Momente in meinem Leben, eine Präsenz und Intensität an Lebensgefühl, und eine der prägendsten Erfahrungen für mich, der Tochter, ist es, beim Tod meiner Mutter dabei gewesen zu sein, die letzten Tage ihres Lebens mit ihr geteilt zu haben, zuerst auf unserer Reise und dann im Krankenhaus. Den Moment des absoluten Stillstehens der Zeit, einer mystischen Erfahrung gleich, erlebte ich in

der Nacht ihres Sterbens, als sie alle da waren und warteten, sie auf die andere Seite zu begleiten.
Ohne es zu wissen, schienen wir uns vorbereitet zu haben auf diesen Moment, doch erst im Nachhinein kann man die Zusammenhänge überschauen, gelingt es, ein Gesamtbild des Geschehens zu zeichnen.

2
Der Abschied

Auch vier Jahre zuvor, bei meinen letzten Begegnungen mit Vater kurz vor seinem Tod, war dieses überwältigende Gefühl der Liebe zu ihm da, so präsent und greifbar. Doch Vaters Liebe zu mir war stets Teil meines Lebens gewesen, auch wenn immer eine gewisse Scheu zwischen uns geblieben war, die Scheu dieser Generation, ihre Gefühle zu zeigen und die Unsicherheit unserer Generation, die Zuwendung einzufordern.
Bei Mutter war das anders: Lange Zeit habe ich vergeblich in mir nach der Liebe gesucht, die Mutter und Tochter verbindet, hatte meist nur ihre Erwartungshaltung gespürt, genauso meine Schuldgefühle, wenn ich ihre Erwartungen nicht erfüllen konnte und es brauchte lange Jahre des Aufräumens in mir, um zu dieser Nähe durchdringen zu können.
In den Stunden des Sterbens war sie da, diese Liebe, eine Liebe, die nur noch aus Loslassen besteht, die nichts mehr mit Erwartungen zu tun hat, nichts mehr einfordern will vom andern, eine absolut bedingungslose Liebe, die man nicht erklären kann und die doch das zu sein scheint, was in spiritueller Hinsicht unter Liebe verstanden oder besser *erfahren* wird.
Vielleicht war ich mir erst in diesen letzten Stunden dieser Liebe sicher, von der ich glaube, dass sie stets da ist zwischen Eltern und Kindern und doch so oft nicht gelebt werden kann.

Sicherlich kam in den letzten Tagen auch dieses tiefe Mitgefühl gegenüber Schwächeren hinzu: Du warst so schmal geworden, so durchscheinend, so hinfällig und ich konnte nicht so recht umge-

hen mit dieser Seite an Dir. Es störte mich, wenn ich die mitleidigen Blicke der anderen Reiseteilnehmer sah, zum Teil auch das Erschrecken derer bemerkte, die Dich lange nicht gesehen hatten und Dich nun kaum mehr wieder erkannten. Ich war dann froh, dass Du ihre Gesichter nicht sehen konntest und ich merkte, wie ich das Gefühl hatte, Dich gegen ihre Gedanken schützen zu müssen: Wie kann sie diese Reise mitmachen? Sie ist schwer krank. Oder einfach: Wie alt sie geworden ist!
An Deinem Sterbebett ging es nicht mehr darum, wie andere Dich sahen. Zum Glück hattest Du sehr aufrichtige, liebevolle Menschen um Dich, auf der Intensivstation des Krankenhauses Bad Hersfeld. Es gab keine Ablenkungen mehr, nur noch Dein Leben, von dem wir nicht wussten, wie lange es noch dauern würde.
Du schafftest es, uns auch in den letzten Tagen Deines Lebens zu überraschen. So an dem Montagnachmittag, als wir alle um Dein Bett standen, wir, Deine drei Kinder, Deine Schwiegertochter und Dein Enkel Urs. Man hatte uns darauf vorbereitet, dass Du nach einer sehr schweren Nacht mit Wiederbelebungsmaßnahmen das Bewusstsein vielleicht nicht wieder erlangen würdest.

Dabei hatte ich Dich am Vorabend mit dem Gedanken zurück gelassen, Du seiest nun gut versorgt. Dein Bruder und seine Frau waren noch lange da geblieben an diesem Sonntag Abend und erst als sie erfuhren, dass Urs auf dem Weg zu uns war, machten sie sich auf den weiteren Heimweg, beruhigt, da ich nicht allein bleiben würde. Wir hatten ja erst die Hälfte unserer Heimreise von Berlin geschafft, machten hier im Krankenhaus nur »Zwischenstation«, wie wir damals noch hofften.
Du warst dem Tod schon so nahe und doch sorgtest Du Dich darum, dass sie doch nach Hause müssten, jetzt nach der Abschlussfahrt mit sieben Bussen so viel zu erledigen hätten im Betrieb. Und für mich warst Du beruhigt, dass Urs kommen würde. Ich war etwas unruhig, denn seine nächtliche Fahrt dauerte allzu lange und tatsächlich hatte er etwas Mühe, Bad Hersfeld zu finden »bei Nacht und Nebel«.

Als er dann ankam, schliefst Du bereits und erst am nächsten Morgen, als ich aufwachte, im Zimmer des Schwesternwohnheims, das man mir zur Verfügung gestellt hatte, konnte ich das so richtig ermessen, wie wunderbar es war, dass mein Sohn gekommen war. Ich war nicht allein in dieser so ungewöhnlichen Situation, nicht allein mit all meinen Gedanken und Gefühlen. Wie so oft in meinem Leben war mein Sohn als treuer Weggefährte da, half mir, allein durch seine Anwesenheit.
Dass Du in der Nacht schon mit dem Tod gerungen hattest und man mir nicht Bescheid gesagt hatte, da ich doch extra in der Nähe geblieben war, erschreckte mich, denn Du warst kaum mehr ansprechbar. So blieben wir an Deinem Bett und hofften, dass Du noch mal zurückkehren würdest zu uns. Doch es ging Dir sehr viel schlechter als am Tag zuvor. Von weiterreisen nach Hause, um Dich dort zu versorgen, war keine Rede mehr. Nur ab und zu tauchtest Du auf aus Deiner Bewusstlosigkeit, als dann Deine anderen Kinder kamen.

Es schien zu Ende zu gehen mit Deinem Leben und irgendwann standen wir nur noch da und warteten. Die Krankenschwester hatte uns zu verstehen gegeben, dass die Zeit des Abschiednehmens gekommen sei, ließ uns allein mit Dir. Jeder versuchte, Dir noch etwas mitzugeben auf Deine weitere Reise, ein gutes Wort, eine Berührung. Es war ein so ergreifender Moment, auch eine tiefe Verbundenheit zwischen uns Geschwistern. Nur Urs, der konnte das auf einmal nicht mehr aushalten, hatte das Gefühl, hier stimme was nicht. »Das ist ja schrecklich. Man meint, ihr wartet nur darauf, dass Oma stirbt.« Und die Spannung löste sich, während er Dir unermüdlich klarzumachen suchte, dass Du noch nicht gehen kannst, Dir erzählte, was er noch alles vorhat im Leben und dass Du Anteil daran nehmen sollst. Den New-York-Marathon werde er laufen für Dich, doch er sagte Dir auch, dass Du auch »von da oben zusehen« kannst, wenn Deine Lebensenergie nicht mehr ausreicht. Irgendwie wusste auch er, dass wir macht-

los waren, doch es galt, alles zu versuchen, um Dich noch mal ins Leben zurückzuholen.

Du hattest verstanden, versuchtest Dich bemerkbar zu machen, öffnetest die Augen, sprachst mit uns, zunächst noch undeutlich, doch bald erkannten wir Dich wieder, unsere Mutter, die sich vorwurfsvoll beschwerte mit dem Satz »Ich hab' noch kein Abendessen bekommen!« Du warst wieder da, warst wie immer. Wir konnten nicht anders, als uns erleichtert und lachend anzuschauen. »Sie hat noch immer alles im Griff, führt uns an der Nase herum«, sagte Heiner. Es war ein solch intensiver Moment der Verbundenheit mit Dir gewesen, doch wo`s langgeht, das bestimmtest immer noch Du. Es war noch nicht so weit und heute weiß ich, warum Du noch weitere Stunden geschenkt bekamst und irgendwann ganz bewusst den Moment des völligen Loslassens erleben durftest.

Die äußerste Anspannung war erst mal einer Geschäftigkeit gewichen und das scheint überhaupt das Schwierigste am Sterben zu sein: Der Moment, wenn man nichts mehr tun kann. Nun war Mutter erst mal »wieder da« und wir konnten weiter sehen, was zu tun uns möglich war. Urs wollte nicht vom Bett seiner Oma weichen, hatte sich häuslich eingerichtet im Zimmer auf der Intensivstation. Direkt vom Marathonlauf war er gekommen und er erzählte Mutter davon, während ich ihr etwas zu essen gab. Spät am Abend ging ich wieder in mein Zimmer, wo ich telefonisch erreichbar war. Urs blieb diese Nacht bei Oma. Die anderen waren erst mal die weite Strecke zurückgefahren, mussten am nächsten Tag wieder zur Arbeit. Es gibt keine Auszeit, um Sterbende zu begleiten. Zum Glück hatte Mutter auch das »bedacht« und sich zum Sterben meine Ferien »ausgewählt«.
Auch am nächsten Tag, am Dienstag, dem letzten Tag in Mutters hiesigen Leben, erlebte ich sie nochmals in ihrer ganz speziellen Art: Sie als diejenige, die den Ton angibt, die heftigst reagiert, wenn nicht alles so läuft, wie sie es will und es war so, dass ich

mich riesig freute darüber. Wahrscheinlich zum ersten und einzigen Mal in unserem gemeinsamen Leben war ich tief gerührt über diese Art des Kommandierens, liebte sie einfach um ihrer Echtheit willen.

Als ich Dienstag früh zum Krankenhaus kam, erwartete mich Urs schon an der Tür mit den Worten: »Die Oma fragt schon, wo Du bleibst und Frühstück hat sie auch noch keins bekommen.« Halb sieben Uhr morgens war es, um Mitternacht war ich gegangen, nachdem sie wieder zurückgesunken war in einen wie bewusstlos wirkenden Schlaf.
Alles hatte ich erwartet, nur keine Vorwürfe, doch ich freute mich. Es waren Lebenszeichen. Und als ich ihr später dann das Frühstückbrötchen schmierte: Butter und Honig, wie sie es gewünscht hatte, bekam ich ihre ganze Kraft zu spüren mit dem vorwurfsvollen Satz: »Du weißt doch, dass ich Butter und Honig nicht zusammen esse. Eine Hälfte mit Butter, die andere mit Honig.«
Ich bin völlig perplex, will mich sogar zuerst verteidigen, ihr erklären, dass doch nun andere Dinge wichtig sind, ich nicht mal wusste, ob sie noch mal frühstücken würde, und und und ... Wie unwichtig das alles: Ein Viertel Brötchen mit Butter, das andere Viertel mit Honig. Ich freue mich, ihr einen so einfachen Wunsch erfüllen zu können.
Auch der Pfarrer, der am späten Vormittag noch mal vorbeischaut, ist völlig überrascht, als er Mutter sieht, heute sogar mit ihr reden kann, im Gegensatz zu gestern.

Da war es Sonja gewesen, die daran dachte, dass es sicher Mutters Wunsch gewesen wäre, einen Pfarrer am Sterbebett zu haben. Lange wurde herumtelefoniert und irgendwann teilte man uns mit, dass nur der evangelische Krankenhauspfarrer erreichbar sei. Sonja meinte, das passe genau, da Mutter sich oft aufgeregt habe, wie zögerlich das voranginge mit der Ökumene. Ich war überrascht und erfreut: Wieder ein Wesenszug, von dem ich wenig mitbekommen hatte: Mutter, die Reformerin.

So war der evangelische Pfarrer gekommen, hatte Gebete gesprochen, sich dann mit uns unterhalten und gefragt, wie es käme, dass wir hier in Bad Hersfeld seien, da wir doch aus Süddeutschland kämen. Da erfuhr er von der Berlinreise und wandte sich wieder Mutter zu, erzählte ihr, dass er gebürtiger Berliner sei. Nun wollte er also noch mal nach ihr sehen und wie überrascht war ich dann, als Mutter den Pfarrer fragte, wo genau in Berlin er denn aufgewachsen war. Ja, das war unsere Mutter, die Reisefachfrau, die Interessierte. Da war dieser Berliner Pfarrer und es ging ihr nicht darum, zu beten, über Gott zu sprechen oder sich um die »letzte Ölung« zu kümmern. Nein, Mutter wollte noch etwas von Berlin wissen, wo sie vor zwei Tagen erstmals gewesen war.
Ich freute mich schon darauf, meinen Geschwistern zu erzählen, dass Mutter wieder mal alles mitbekommen hatte, gestern, als wir glaubten, es seien ihre letzten Stunden.

Noch mal an diesem Tag, am späteren Nachmittag, wenige Stunden vor dem Moment, von dem an sie nichts mehr sagt, kommt ein ähnlicher Wunsch, wie immer eher wie ein Befehl geäußert: Mutter möchte Zitronen-Eis und ich sage, ich werde ihr eins am Kiosk holen. »Nein, ich will ein richtiges Eis, doch keins aus der Tiefkühltruhe«, sagt sie energisch. »Ein Eis aus der Eisdiele oder aus dem Café!«
»Ja, Mutter, natürlich! Doch dazu muss ich runter in die Stadt. Es wird ein wenig dauern. Ich beeile mich. Ruh' dich so lange aus.«
Eine Stunde dauert das Eisholen, runter in die Stadt, denn die Klinik liegt etwas außerhalb, oben am Berg. Jetzt Ende Oktober, der 28. ist heute, findet sich nicht so schnell ein Eiscafé, dann im Spurt wieder den Berg hoch, damit das Eis nicht geschmolzen ist, bis ich ankomme.
Und dabei plötzlich die Angst, die in mir hoch kriecht: Wenn ich zu spät komme; ich könnte mir doch nie verzeihen, so lange weg

gewesen zu sein, wenn sie jetzt die Augen für immer schließen würde. Denn da mach' ich mir nichts vor, bei aller Energie, die in Mutters Befehlsstimme noch zu spüren ist: Sie ist dem Tod sehr nahe.

Das Erste, was ich sehe, als ich ins Zimmer trete, sind ihre angstvollen Augen und ich spüre, wie sehr sie auf mich wartete. »Du warst lange weg«, sagt sie und ich weiß, ich werde keine Sekunde mehr weggehen von ihrem Bett. Die Rollen haben sich vertauscht. Nun ist sie das Kind, sie hat Angst vor dem Alleinsein, sie braucht mich. Ich beschütze sie und das Zitronen-Eis ist ihre letzte Mahlzeit in diesem Leben.

3
Allein gelassen

Und ich erinnere mich an damals, als ich das Kind war, auf sie gewartet habe und dann nicht mehr mit ihr gehen wollte, als sie kam, um mich abzuholen. Sie war zu lange weg gewesen. Das kleine, 3 oder 4 Jahre alte Mädchen kann es noch nicht ausdrücken, wie schlimm das ist: Allein im Krankenhaus, ein Gesicht ab und zu an dem kleinen Glasfenster oben an der Tür, als würde man in einer Gefängniszelle besucht. Immer wieder sehe ich das Gesicht und bei jedem Mal wird es fremder. Die junge Krankenschwester, die mich oft am Fenster auf den Arm nimmt, mich rausschauen lässt auf die Straße, sie ist mir viel näher. Sie hält mit mir Ausschau nach einem Friedmann-Bus, denn die Bushaltestelle ist gleich vorm Krankenhaus und ein grüner Friedmann-Bus, das heißt für mich: Da ist mein Vater. Er muss arbeiten, aber er ist da.
Noch heute kann ich keinen Friedmann-Bus sehen ohne dieses wohltuende Heimatgefühl. Es wird immer seltener, dass der Fahrer am Steuer ein altbekanntes Gesicht für mich ist. Sie kennen mich nicht mehr und können natürlich schon gar nicht wissen, warum ich sie so anstrahle. Es ist das kleine Mädchen am Krankenhausfenster, das sich freut, wenigstens den Bus zu sehen, den Vater fahren könnte. Ob er wirklich am Steuer sitzt, ist in dem Moment nicht wichtig für das kleine Mädchen auf dem Arm der Krankenschwester.

Mutter, die wirklich ab und zu da war, nur am Türfensterchen zu sehen, die hatte mich hier allein gelassen. Sie war nicht da für mich, war zu lange weg, ein Gefühl, das mich durch die Kindheit zu begleiten schien.

Und dann dieses Gefühl der Ohnmacht, das hinzukam und sich ganz konkret als Ohnmächtig-Werden äußerte. Ohnmächtig fühlte ich mich in dem Wunsch, von Mutter gesehen zu werden. Das waren meine kindlichen Ohnmachtsanfälle, die meine jungen Tanten, selbst noch Kinder, in Angst und Schrecken versetzten. »Sieh mich doch!«, schrie es in mir. Ohne Macht fühlte ich mich, erst im Ohnmächtigsein hat Mutter mich gesehen, sich um ihr kleines Mädchen gekümmert.

Nur an ein Ohnmachts-Erlebnis erinnere ich mich deutlich und es scheint mir, als sei es das letzte Ereignis dieser Art gewesen, denn damals vermischte sich bereits das völlig unbewusste Geschehen des »Keine-Luft-mehr-kriegens« mit diesem halbbewussten trotzigen Gefühl »Wenn ihr mich gar nicht seht, dann sterbe ich eben und ihr seid dran schuld«. Es war in Omas Hof, Mutters Elternhaus in der Dorfmitte, wo wir uns oft aufhielten, auch nachdem wir schon im eigenen Haus am Ortsausgang wohnten. Die Feldarbeiten, das Einbringen der Kartoffeln, des Gemüses, des Obstes, das dann auf dem Markt in der Stadt verkauft wurde, das war Gemeinschaftsarbeit, bei der auch wir Kinder halfen. An jenem Tag waren wir dabei, Kartoffeln vom Traktor-Anhänger abzuladen und ich wollte genau die Mistgabel, die mein Bruder gerade hatte. Ich erinnere mich noch sehr genau, wie ich heulend mit den Füßen stampfte, gar nicht wusste, wohin mit meiner unbändigen Wut. Das nächste Bild sind die um mich versammelten Menschen, ich selbst lag am Boden, jemand hob mich auf, schüttelte mich und ich kam wieder zu Bewusstsein, war wieder da. Natürlich gibt es heute medizinische Erklärungen für solche Ohnmachtsanfälle, doch ich denke, dass sie unbewusst einem ganz bestimmten Zweck dienten: Ich wollte mich behaupten gegen die Übermacht der Älteren, wollte Aufmerksamkeit bekommen, Zuwendung, Liebe.

Es ist noch gar nicht so lange her, da erzählte mir eine meiner Tanten, die jüngste Schwester meiner Mutter, gerade mal zehn Jahre älter als ich, welche Angst sie immer vor diesen meinen Anfällen hatte. Es war so wie in jeder Großfamilie, dass die Älteren auf die Jüngeren aufpassen mussten, bei uns dann eben nicht ältere Geschwister, sondern die jungen Tanten, selbst noch Kinder oder Jugendliche, die sich in solchen Situationen natürlich hilflos fühlten.

Heute bin ich mir sicher, dass sich jedes Wesen die Eltern »aussucht«, bei denen es in dieses Leben treten will, dass ein Kind die Bedingungen vorfindet, die es für seine Selbst-Entfaltung braucht. Jeder ist genau an dem Platz, wo er sein Potenzial entfalten kann, auch wenn dieser Ort nur der Anfang ist für die eigentliche individuelle Reise ins Leben.
So oft fühlt sich das kleine Wesen fremd in seiner Umgebung, irgendwie verloren, eben allein gelassen, so wenig erkannt in dieser Welt, die man seine Heimat nennt. Ich glaube, es dauert oft Jahrzehnte des Suchens, bis man das wirklich Eigene, die eigene Lebensaufgabe, den eigenen Lebensweg erkennen kann und dann auch die ursprüngliche Heimat mit anderen Augen sieht. Die eigenartige Fremdheit, die man manchmal der Heimat gegenüber empfindet, obwohl man doch so gerne »dazu gehören« möchte, ist ja eher eine Art Fremdheit sich selbst gegenüber.
Wie schmerzhaft ist es, wenn man immer wieder auf diese Grenzen stößt, dort wo man Liebe fühlen möchte, diese Grenzen, wo das eigene Bedürfnis mit den Erwartungen der Anderen zusammenprallt. »Ich liebe dich, wenn...« das haben wir gelernt als Kinder und leben meist noch lange Zeit als Erwachsene mit dem Muster, versuchen die Liebe des Anderen zu »kaufen«, uns anzupassen, eine Erfahrung, die wohl immer noch intensiver von Frauen erlebt wird.

Diese Ur-Sehnsucht nach Einswerden, nach Verschmelzen, jeder Mensch kennt sie, auch wenn sie später im Erwachsenendasein

die unterschiedlichsten Formen annimmt, man sich die Sehnsucht der Seele nicht mehr eingestehen will. Den Anfang hat alles viel früher genommen. Auch wenn wir nicht dorthin blicken, wo die eigentliche Ur-Sehnsucht wohl verborgen liegt, im spirituellen Bereich, so genügt ein Blick in unser eigenes, dieses jetzt bewusst wahrgenommene Leben, um zu erfahren, dass es in erster Linie und immer wieder darum geht, einfach so angenommen zu werden, wie wir sind. Wir schlüpfen in unsere unterschiedlichen Rollen, verstecken uns hinter Masken und doch fragt man sich, was so gefährlich daran ist, den Mitmenschen mit offenem Herzen zu begegnen.
Als Kinder konnten wir das noch, doch jeder weiß, wie sich mit dem Älterwerden häufig die Schutzpanzer verdichten. Nur ab und zu erlaubt man dann wieder jemandem einen Blick in die eigene Seele, vielleicht beim Sich-Verlieben.
Und so treibt uns diese Sehnsucht, dieser Wunsch nach dem anderen in unterschiedlichste Liebesbeziehungen, häufig auch in Projektionen, wenn der andere einem das geben soll, was man selbst nicht zu haben glaubt.

Meine »erste Liebe«, das war mein großer Bruder, gerade mal ein Jahr älter als ich. Ich sehe mich immer zusammen mit meinem Bruder, vielleicht ein Anhängsel, das ihm manchmal lästig war, wenn er mit Jungens spielen wollte. Sicher lernte ich schon früh, mich anzupassen, um dazu zu gehören. Ob ich gerne mit Puppen spielte, weiß ich nicht. Ich weiß, dass ich nicht mit ihnen spielte, weil ich meinem Bruder hinterher lief.
Wir zwei dann im Kindergarten, beim Theaterspielen, auf Familienfeiern, im Dorf. »Heiner und Ursel«, das war wie »Hänsel und Gretel«, lange Zeit mein Lieblingsmärchen. Immer zu zweit, auch oft wie Zwillinge angezogen, zum Beispiel in den selbst gestrickten Matrosenanzügen, der Junge mit Hose, das Mädchen natürlich mit Röckchen.
Heiner soll damals, mit 14 Monaten, als man ihm sagte, er habe

ein Schwesterchen bekommen, vergnügt mit dem Kochlöffel auf einen Topf gehauen haben – ein Trommelwirbel zu meiner Ankunft. Ob es tatsächlich so war, weiß ich nicht. Jedenfalls gefiel mir die Geschichte.

Ganz genau erinnere ich mich an diese schreckliche Zeit, als mein Bruder zur Schule kam und ich, die um ein Jahr Jüngere, nun allein zum Kindergarten gehen sollte. Ich fühlte mich völlig allein gelassen, weinte bitterlich. Mutter versuchte es ein paar Mal, ließ mich dann erst mal zu Hause, bis wir eines Tages beim Einkaufen die Kindergärtnerin trafen. Sie fragte, warum ich nicht mehr käme, mit falscher Freundlichkeit, wie sie sie immer den Müttern entgegenbrachte, während man ihren Launen im Kindergarten schutzlos ausgeliefert war. Ich hatte meinen Schutz verloren, meinen Bruder, denn Jungen wurden eindeutig bevorzugt von ihr behandelt, eine Verhaltensweise, die uns Mädchen zur damaligen Zeit meist auch von der Familie her bekannt war.
Wir standen da auf der Straße, vor der Bäckerei, und die Übermacht der beiden Frauen war zu groß: Man erwartete von mir, dass ich ein »braves, großes Mädchen« sei und ich ging ab sofort wieder in den Kindergarten. Sich anders verhalten, als es das eigene Gefühl sagt, das ist etwas, was jedes Kind lernt, das eine mehr, das andere weniger. Jedenfalls geht es um die Suche nach Anerkennung, nach Liebe und je weniger man diese Zuwendung gezeigt bekommt, umso größer die Anstrengungen, etwas davon zu erhaschen. Oft gelingt es uns erst als Erwachsene, diese Verhaltensmuster aufzudecken.

Durch das Leben ganzer Generationen zieht sich dieses Verhalten des Sich-Anpassens, um geliebt zu werden oder auch des Sich-Auflehnens, um gesehen zu werden. Die braven Kleinen und die aufmüpfigen Größeren, sie hungern doch nach dem Gleichen: der Zuwendung, dem »Gesehen-« und dem »Angenommen«-Werden.

Was ich suchte unterschied sich nicht von dem, was so viele Menschen suchen, schon als Kind, dann bewusster als Jugendliche und zum Glück auch noch im Erwachsenenalter: Aufrichtigkeit, Wärme, echte Nähe, Harmonie. Auch was ich fand, wird sich nicht viel unterscheiden von dem, was ganze Kindergenerationen erfahren haben: »Du sollst«, »Du darfst nicht«, »Du musst«.
Bei uns war es vor allem Mutter, die diese Regeln und Verbote aufstellte und streng auf ihre Einhaltung achtete. Vater blieb eher im Hintergrund. Doch sein Stolz, den er zeigte, wenn andere dabei waren, Stolz auf die hübsche Tochter, später Stolz auf die kluge Tochter, das war zu spüren und das tat gut. Er zeigte diesen Stolz, für Mutter schien das einfach selbstverständlich zu sein, dass ihre Ältesten zum Beispiel meist Klassenbeste waren. Sie erwartete viel, forderte es geradezu ein mit ihrem strengen Gesichtsausdruck.
Doch all das sind nur Muster in dem gleichen Spiel: Das Kind nimmt die Verhaltensweisen an, die ihm am »einträglichsten« sind. Einiges hat sich geändert in den letzten Jahrzehnten. Kindererziehung geschieht bewusster, doch unsere Generation hat wohl noch viele unerlöste Schattenseiten der Generation unserer Eltern übernommen und ist daran, diese zu erlösen.

Irgendwann merkte ich, dass mir etwas zu fehlen schien: Überall um mich tuschelten die Mädchen über ihre ersten Erlebnisse mit Jungen, taten sich wichtig und ich hatte das Gefühl, nicht mehr dazuzugehören – überhaupt ein zentrales Gefühl in meinem Leben, das mich noch in abenteuerliche Situationen bringen sollte: Diese Sehnsucht »dazu«zugehören!
Ich sehe mich selbst in dieser Zeit: voller Ängste und Unsicherheiten. Alle Ge- und Verbote, religiöse und moralische Regeln schienen vereint in Mutters strengem Blick, der mir genau zu sagen schien: Das darfst du nicht. Das ist gut, das ist schlecht. Das musst du tun, das andere auf keinen Fall. Doch das Problem war, all diese Regeln wurden nicht wirklich ausgesprochen. Es

gab keinen Leitfaden, wenn ich mal absehe von dem dubiosen Büchlein, das mir Mutter bei der ersten Periode abends auf den Nachttisch legte und von dem ich nur Teile des Titels im Dämmerlicht lesen konnte: Damit ... Bescheid weißt. Irgendein katholisches Heftchen für junge Mädchen mit eindeutigen Warnungen, sich nun vor den Jungs »in Acht zu nehmen«. Natürlich stand es nicht in diesen Worten im Büchlein, doch der Tenor war so und erst mit der Helligkeit des Morgens konnte ich den ganzen Titel lesen: Damit Du Bescheid weißt.
Noch heute klingt mir diese Formulierung im Ohr als ein Satz, der sich durch mein Leben zog, durch mein Leben als eine ihrer strengen Mutter »ausgelieferten« Tochter: Damit Du Bescheid weißt, das war auch eine Formulierung, um zu sagen: Merk Dir das! Und wage ja nicht, anders zu sein, anders zu denken, eigene Gefühle zu haben ...
Es interessierte mich nicht wirklich, mit Jungens »rumzumachen«, ich fand es eher abstoßend, dieses Geknutsche der anderen nach der Sing- oder Jugendstunde beim Heimgehen. Doch das bedeutete, dass ich eben für solche Dinge noch zu klein war, und meine um ein Jahr ältere Cousine Andrea versäumte auch nie, mich auf mein Nichtwissen hinzuweisen.

Es scheint sich wie ein roter Faden durch mein Leben zu ziehen: Menschen, die »über« mir stehen, die es besser wissen, die mir sagen, wo's langgeht. Natürlich stehe ich mit dieser Erfahrung nicht allein da. Jeder macht diese Phase durch, doch so unterschiedlich die Menschen sind, so unterschiedlich auch die Verhaltensweisen, die sich daraus entwickeln. Bei mir dauerte es Jahrzehnte, bis ich mich durchgearbeitet hatte durch all diese Muster der Lehrmeister, bis ich durchdrang zu meinem eigenen Gefühl, das wie tief verborgen irgendwo schlummerte und darauf wartete, endlich entdeckt zu werden.

Ich fühlte mich oft allein gelassen. Doch ich nahm das nicht wirklich wahr als mein Gefühl. Ich glaubte, durch Anpassen an andere könne man dieses unangenehme Gefühl ausmerzen. Irgendwie wussten es die anderen immer besser, waren weiter, reifer.

Das war schon damals so gewesen, und als mir Andrea eines Tages erzählte, dass im Bauch meiner Mutter ein Kind heranwächst (ich war 9 Jahre alt) und mein Bruder und ich ein Geschwisterchen bekommen würden, war das keine hilfreiche Information für mich. Natürlich zweifelte ich das Unglaubliche nicht an, schließlich war die Cousine ein Jahr älter und wusste viel mehr von solchen Dingen als ich. Sie war eine Meisterin darin, ihr »Wissen« so zu übermitteln, dass es für den Nicht-Wissenden eine echte Bedrohung darstellte. Nicht genug, dass allein diese Vorstellung des Kindes im Bauch der Mutter erschreckend war, die Ältere wusste noch eins draufzusetzen: Sie hatte mitbekommen, dass Mutter die Wohnung geputzt habe. Das dürfe sie aber nun nicht mehr tun. Das sei meine Aufgabe. Da ich das nicht getan hatte, Mutter die Arbeit nicht abgenommen hatte, könnten wir ein krankes Geschwisterchen bekommen.

Und mit diesem Gedanken lebte ich die nächsten Monate, bemühte mich, Mutter die Hausarbeit abzunehmen und lebte in der ängstlichen Erwartung, dass die Prophezeiung sich erfüllen könnte. Und ich wäre daran schuld! Die Möglichkeit, jemanden zu fragen, scheint es für mich nicht gegeben zu haben in dieser meiner Welt. Ängstlich erwartete ich mein Schicksal.
Noch heute tut mir dieses kleine Mädchen leid, das all diesen schrecklichen Schuld- und Sühnegeschichten, vermittelt natürlich auch in einer streng katholischen Erziehung, ausgeliefert war und heute nehme ich sie im Geiste an der Hand und erlebe, dass sich das Mädchen doch treu geblieben ist, hilflos zwar oft, doch wenn's drauf ankam auch mal dickköpfig. Andrea war nur eine von vielen »Gurus«, die meinen Weg kreuzten, doch das Muster war schon damals das gleiche, mein Thema, an dem ich lange zu arbeiten haben würde: Andere wissen es besser. Höre auf sie.

Wer hätte mir auch damals etwas anderes sagen können? Zunächst gab es keine Fragen, nur Gehorsam, dann kamen die Fragen, die ich mich nicht zu stellen traute, dann die Antworten in Büchern, doch all das war ein langer mühevoller Weg, der mich völlig aus dem Umfeld herauskatapultierte, in dem ich aufgewachsen war, mich in eine – scheinbar – total andere Lebensweise hineinwarf. Immer wieder geriet ich in diese Falle, mein eigentliches Bedürfnis nach Selbst-Verwirklichung, Selbstliebe diesem Gefühl des endlich Dazugehörens zu opfern bzw. wieder mal Umwege zu gehen, die eben auch zu meinem Wachstum gehörten.

4
Die Suche

Wie sollte ich jemals einem anderen Menschen tiefe Gefühle entgegenbringen, die ich selbst voller Ängste war? Wie jemanden umarmen, die ich das Gefühl des Umarmtwerdens in meinem körperfeindlichen Umfeld gar nicht kannte? Ein unbefangenes Zugehen auf Jungen gab es nicht in dieser Welt. Ab einem bestimmten Alter war der Kontakt zwischen Jungen und Mädchen mit einem Fluch belegt: die Verlockung des Verbotenen. Ein Gebiet, auf dem es keinerlei Unterweisung gab, abgesehen von den fragwürdigen Heftchen der katholischen Kirche. Auch im Gymnasium, wo die Welt etwas weiter schien, hatte sich noch keiner um dieses Fach gekümmert, bis heute trotz verschiedener Ansätze eine Lücke in der Erziehung junger Menschen.

Allerdings gab es hier Möglichkeiten, sich anderen Dingen zu widmen und die Schule bot mir die Gelegenheit, mich etwas zu entfernen vom dörflichen Umfeld, und das mit nachdrücklicher Genehmigung meiner Mutter. Schule, Studium, das war ihr wichtig, und in diesen Bereichen konnte ich ihre Erwartungen stets mehr als erfüllen.
Irgendwann jedoch wog all das nicht mehr die Entwicklung in meinem Leben auf, die für Mutter zur bittersten Enttäuschung überhaupt wurde: Der »Fall« ihrer Tochter.

Wie oft sagte sie später: »Hättest du damals doch Josef geheiratet.«
Sie schien tatsächlich nicht mehr zu wissen, mit welcher Vehe-

menz sie gegen diese sich anbahnende Beziehung gewesen war, wie unerbittlich sie darauf achtete, dass ich pünktlich nach Hause kam und wie wenig Nachsicht sie mit ihrer anderen Tochter hatte, die als kleines Mädchen von sechs Jahren rausgeschickt wurde, wenn ich bei unserer Heimkehr nicht sogleich aus Josefs Auto ausstieg.

Wie sollte ich, die nie gelernt hatte, ihrem Gefühl zu vertrauen, die gar nicht wusste, was das ist, dieses eigene Gefühl, wie sollte ich wissen, ob ich nun erstmals richtig verliebt war?
Es verunsicherte mich, dass mein Körper zwar mit all seinem Begehren erwachte, wenn ich mit Josef zusammen war, ich mir aber unter romantischem Verliebtsein etwas ganz anderes vorstellte. Dass Josef es akzeptierte, dass ich nicht mit ihm schlafen würde (ich ging damals noch davon aus, dass ich erst in der Ehe Sexualität erleben wollte), dass er mir wunderbare Liebesbriefe schrieb, mir irgendwann ein wertvolles Goldkettchen schenkte, jahrelang um mich oder um meine Liebe rang, all das genügte nicht, um meine Zweifel zur Ruhe zu bringen.
Wenn ich mich damals fragte, was mir fehlte an dieser, zugegeben etwas einseitigen Liebe, denn Josef litt noch lange unter meiner Zurückweisung, so wusste ich, es war das Nicht-Miteinander-Reden-Können. Es war etwas, das ich nur zu gut kannte und ich wollte so nicht leben: nebeneinander her, wie ich es in den Familien erlebte, mit klaren Regeln, die unausgesprochen gültig sind. Es war einfach so. Irgendwoher kamen die Ge- und Verbote, als nähme man sie mit der dörflichen Atmosphäre, dem Kirchenbesuch, der Jugendgruppe ins Blut auf, ohne sie zu hinterfragen. Man lernte früh, die eigenen Bedürfnisse abzuwürgen.

Von Josef war bekannt, dass er »anders« war, nicht so angepasst und brav wie ich. Er war der Rebell, war von der Schule geflogen, machte sich lustig über die Kirche und und und. Es war unmöglich, mit solch einem Jungen befreundet zu sein. Später, als er in der nahen Kleinstadt lebte, verheiratet, mit Kind und

guter beruflicher Stellung, als ich in meiner selbst gewählten, für meine Familie so ganz unvorstellbaren Lebensgemeinschaft lebte, da hätte sich Mutter das gewünscht: Hättest du damals doch ... Und sie leugnete sogar, jemals gegen diese Verbindung gewesen zu sein.
Natürlich hatte Mutter großen Einfluss auf meine Entscheidungen, so lange ich noch zu Hause lebte, doch wie sich später zeigte, reichte dieser Einfluss nicht, als ich dann irgendwann einen ganz anderen Weg einschlug, mich abwandte von ihr und ihren Vorstellungen, wie mein Leben zu verlaufen habe, als ich dem folgte, was wie ein innerer Drang mich weiter trieb.

Natürlich gibt es immer wieder Momente, in denen man sich fragt: »Was wäre gewesen, wenn ...?« Doch man wird nie eine Antwort darauf erhalten.

Wobei ich in Bezug auf meine erste Liebe mir längst die Antwort gegeben habe: Ich wäre nicht wirklich weggekommen aus dem Dorf, zumindest nicht aus diesem Umfeld, das zu verlassen sicher auch ein Teil meines Lebensweges war. Es war nicht mein Weg, diesen Lebensstil weiterzuleben. Das merkte ich schon früh, wenn ich mich auf Reisen, beim Entdecken und Erleben anderer Lebensmöglichkeiten, beim Kennen lernen anderer Menschen so frei fühlte, eine andere Rolle anzunehmen schien, in eine andere Haut schlüpfen konnte, zum Beispiel durch das Sprechen einer anderen Sprache, wenn ich für Vater die kleine Dolmetscherin spielen durfte.

Diese andere Seite in mir, die wurde bei einer anderen Art der Verliebtheit angesprochen. Bei Markus, der irgendwann zu uns in die Oberstufe kam, war das anders. Während ich bei Josef das Miteinander-Reden vermisste, war mir das viele Reden bei Markus zuweilen beängstigend. Bei ihm wollte ich gerne anders sein, doch ich steckte in meinen katholischen Ängsten, und die Unterhaltungen über interessante Literatur, die wir lasen, über die philosophischen Texte, zu denen ich stets Einser-Aufsätze schrieb, das war die eine Seite. Die andere Ursel, die brave, die ihrer Mutter und der Kirche gehorcht, die hätte ich vor Markus, der von solchen Zwängen frei war, gerne verborgen. Ich spielte meine Rolle vielleicht manchmal gut, doch täuschen konnte ich ihn nicht, wie ich Jahrzehnte später von ihm selbst erfuhr. Für ihn war diese Mauer aus Moral, Kirche, Familie eher bedrohlich. Daran wagte er sich nicht, zumal von mir auch keine Aufmunterung kam.

Doch das ist die Ursula, eine Frau, die ins sechste Lebensjahrzehnt geht, die nun rückblickend all die aus Unsicherheit und anerzogener Hemmung nicht gelebten Momente ihres Jungmädchen-Lebens betrachtet und es gibt in keinem Leben die Möglichkeit, Gewesenes mit den nun gesammelten Erfahrungen noch mal anders zu leben. Doch mit dem Älterwerden stellt sich mehr und mehr die Fähigkeit ein, all die unterschiedlichen Facetten des eigenen Wesens zu einer Ganzheit zu formen: das kleine Mädchen, das sich manchmal recht verloren fühlt in seiner starren Umwelt, die unsichere Jugendliche, die ihre Orientierung im Außen sucht, die junge Frau, die ihre Ergänzung in der Liebe zu einem Mann sucht, die reifere Frau, die mehr und mehr zu sich selbst findet. All diese Anteile gehören zur eigenen Gesamtpersönlichkeit, sind nicht verloren, können zwar nicht mehr verändert, wohl aber integriert werden. Ist das die Selbstfindung, die man ein Leben lang anstrebt, sich selbst finden durch eine Gesamtschau all dieser Facetten?

Damals, gegen Ende der Schulzeit, hätte ich nicht ahnen können, wie sehr mein Leben irgendwann von all den Vorstellungen, in denen ich selbst aufgewachsen war und die Teil meiner Träume von der Zukunft waren, abweichen würde, wie extrem mein Weg scheinbar aus der vorgezeichneten Spur geriet und doch weiß ich heute, dass es genau »meine Spur« war, eben mein Schicksal, mein Weg, den ich heute ganz anders überblicken kann.

Gerade jetzt, ein Jahr nach Mutters Tod, da ich hier sitze, vor dem wunderschönen Haus von Elisabeth und Wilfried Merle, hoch über Carupano auf der venezolanischen Halbinsel Paria, mit weitem Blick über die karibische Küste, bis hin zur Insel Margaritha; jetzt, da ich drei Monate meiner einjährigen Auszeit von der Schule hier bei Menschen verbringe, die ich vor drei Jahren nicht mal kannte und bei denen ich mich nun wie zu Hause fühle, da sehe ich, wie perfekt die Lebensfäden gesponnen werden, um einen genau an den Punkt zu bringen, wo weitere Erfahrungen auf einen warten.

Diese Einteilung in »richtig« oder »falsch«, die mein Aufwachsen bestimmte und mich noch lange prägte, die gibt es nicht wirklich. Sie kann Wegweiser sein auf dem eigenen Weg, doch häufig ist dieses richtig oder falsch geprägt von ganz speziellen Vorgaben und erst die eigene Lebenserfahrung bringt die Möglichkeit der Unterscheidung. Ich wollte doch alles richtig machen und dann war es manchmal genau das Falsche, gemessen an Maßstäben, die nicht meine eigenen waren.

Doch ich wusste schon sehr früh, dass ich nicht irgendwann Deinen Lieblingssatz, wenn Du frustriert warst, aussprechen wollte »Ich habe alles falsch gemacht«. Wie von unsichtbaren Mächten geleitet, geht man seinen Weg und kein Mensch kann einem die Richtung vorgeben, denn nur das eigene Innere kennt die Richtung, allerdings ist es oft viele Jahre lang mehr eine Ahnung, ein Getriebensein, entgegen aller Vernunft. Auch das ist ein Satz, den ich später oft von Dir gehört habe, Mutter »Ich glaub, Du bist verrückt«. Wie viele Menschen meiner Generation kennen solche Aussprüche ihrer Eltern, wenn sie einen Weg einschlugen, den die Älteren nicht mehr nachvollziehen konnten, wenn sie ausbrachen aus dem bekannten Schema.

Ich bin sicher, dass Du, Mutter, heute verstehst, warum ich einen anderen Weg gehen musste, so wie viele Eltern Deiner Zeit wohl erst durch viel Leid, meist in Form von Krankheiten gehen muss-

ten, vielleicht sogar erst durch den eigenen Tod, um irgendwann zu »verstehen«, was die Botschaft war, mit denen ihre Kinder, unsere Generation, auf diese Erde kamen, in eine Zeit des Auflösens alter Strukturen, festgefahrener Muster.

Da war die eine Seite in mir: das heranwachsende Mädchen, das sich sehnte nach Romantik, nach dem Prinzen, voller verwirrender Gefühle, beengt durch die Regeln der Umwelt, in der ich lebte. Da war aber auch die andere Seite: Der Teil in mir, der etwas ganz anderes suchte, die Ursula, die sich abgestoßen fühlte von all der Scheinheiligkeit und Scheinfrömmigkeit, die sie um sich herum wahrnahm, wobei es sich wohl eher um Gedankenlosigkeit handelte, ein Nicht-Hinterfragen von Dingen. Es gab klare Regeln, wie man zu leben hatte, Regeln, die nicht mal ausgesprochen werden mussten, die einfach mit der Luft, in der man lebte, eingeatmet wurden. Wie es in den Herzen der Menschen aussah, schien niemanden zu interessieren.

Mein Maßstab war lange Zeit das Gesicht meiner Mutter gewesen. Nicht nur als Kind, noch lange, nachdem ich aus ihrer Welt verschwunden war, konnte ihre Miene mich in Gewissensnöte stürzen. Auch ein Thema, das ich mit zahllosen anderen Töchtern teile, da bin ich mir sicher. Ich bin all dem ausgewichen, konnte mich in jungen Jahren nicht damit auseinandersetzen. Der einzige Ausweg war die Flucht in ein ganz anderes Leben, so anders, dass Mutter mich dort nicht mehr erreichen konnte.
Mutter ahnte wohl schon lange, dass ich ihr irgendwann von ihren Kindern am meisten Kummer bereiten würde. Vielleicht war ich deshalb so bemüht, »brav« zu sein, so lange ich zu Hause lebte. Doch es dauerte noch lange, bis ich das auch fühlen konnte, was ich für mich selbst brauchte. Erst mal waren es Gedanken, die mir eine andere Welt zeigten: Philosophien, andere Religionen. Wieso tat man in meiner katholischen Umgebung so, als gäbe es nichts anderes als diese festgefügte, vorgegebene Welt-

ordnung? Wieso war das Leben so eng, da es doch Menschen gab, die ganz andere Gedanken niedergeschrieben hatten?

Heute weiß ich, dass es immer das Thema des Liebens war, das mich weiterbrachte, das mich beflügelte für Neues. Das ist so geblieben bis heute, wobei ich mehr und mehr lernte, mich selbst zu lieben, nicht mehr zu verschwinden im Anderen, wie ich das lange gelebt habe. Doch bis dahin, bis hierher, wo ich heute bin, war es ein langer Weg.

Jetzt, da ich hier bei Dir sitze, Mutter, Du an all diese Geräte angeschlossen bist, ich nicht weiß, wie lange Du noch atmen wirst, jetzt weiß ich, durch welchen Schmerz Du damals gegangen bist, als ich eine Dir völlig fremde Lebensform wählte. Doch ich weiß auch, dass ich nicht hier an Deinem Sterbebett säße, mit aller Liebe, die eine Tochter für ihre Mutter nur empfinden kann, wenn ich mich nicht damals, vor 30 Jahren, ganz vehement und eindeutig losgerissen hätte von Deiner ständigen Bevormundung. Ich könnte nicht diese Liebe spüren, die zwischen uns fließt, jetzt in diesem Moment, von innerstem Wesen zu innerstem Wesen, wenn ich nicht eingetaucht wäre in meine eigene Schattenwelt.

Vielleicht ist es wirklich ein ganz besonderes Geschenk, beim Tod der eigenen Mutter dabei sein zu können, bei dem Menschen, der einen ins Leben gebracht hat, denn Du als meine Mutter bist damals bei meiner Geburt bereits durch eine Art Tod gegangen, so wie jede Mutter im Augenblick des Gebärens eine Art Tod erlebt. Daran hat sich im Verlauf der Menschheits-Geschichte trotz aller medizinischen Fortschritte nicht wirklich etwas geändert.
Da ist so viel Rührung in mir, als Du gewaschen wirst und ich Deinen Bauch betrachte und mir vorstelle, dass ich darin herangewachsen bin, vor Jahrzehnten, mit einer bestimmten Aufgabe für dieses Leben, doch was genau diese Aufgabe ist, das weiß ich auch heute noch nicht bzw. ich erkenne nur immer Teilaufgaben, und

das Schöne am Älterwerden ist, dass man einen Überblick bekommt über das eigene Leben, eine Art Gesamtschau.
Wie das für Dich ist, jetzt am Ende Deines Lebens, das kann ich Dich nicht mehr fragen, doch ich spüre, dass es ganz wesentliche Stunden in unserem gemeinsamen Leben sind, auch wenn wir nicht mehr miteinander reden können.

Tod und Geburt, Übergänge, die so nah beieinander liegen, und ich bin davon überzeugt, dass auch für Dich das, was Du jetzt erlebst, ein Übergang in eine neue Seinsweise ist.
Ich möchte nicht versuchen, Dich zurückzuhalten, doch ich möchte Dir irgendwie helfen, dass der Übergang nicht allzu schwierig ist. Ich hoffe, ich schaffe das durch all die so wichtigen kleinen Hilfereichungen, wie Deine Hand streicheln, Dir die Lippen zu befeuchten, jetzt, da Du nichts mehr trinken darfst, mit Dir sprechen, auch wenn Du nicht mehr antwortest.

Ich sitze hier an Deinem Bett, gehöre zu der Welt, die Du verlässt und doch weiß ich, dass auch die Helfer von der anderen Seite da sind. Irgendwie glaube ich auch fest daran, dass jede Seele vorbereitet ist auf diesen Übergang, so wie es für den Eintritt ins Erdenleben die Zeit der Schwangerschaft als Vorbereitung gibt. Nur schade, dass wir dazwischen durch das große Vergessen gehen müssen, eben nicht mehr wissen, woher wir kamen, wenn wir mit dem Heranwachsen langsam unserer selbst bewusst werden. Durch all die Erfahrungen bei Rückführungen in frühere Leben weiß ich jetzt, während ich hier bei Dir sitze, dass man nichts wirklich »vergisst« an Lebenserfahrungen, sich sehr wohl erinnern kann an das, was war, das Wesentliche tief in der eigenen Seele speichert. Jetzt wünsche ich mir für Dich, dass Du das zu Ende gehende irdische Leben an der Schwelle zu einem anderen Sein nun in einem anderen Licht siehst und dass Du uns, die zurückbleiben, von einer anderen Warte aus begleiten kannst.

Für jeden von uns kam irgendwann der Moment, in dem wir uns entschieden, wieder in einem Körper hier auf der Erde zu inkarnieren, mit ganz speziellen Aufgaben, allerdings auch mit der Bereitschaft, uns ganz einzulassen auf die Themen, die unsere von uns »ausgewählten« Eltern uns noch zusätzlich mit auf den Weg geben, denn das, was die eigenen Eltern selbst nicht auflösen an alten Mustern scheinen sie zu übergeben an ihre Kinder. Schon das sollte Eltern in die Verantwortung nehmen, ihre eigenen Schattenbereiche, die »Leichen im eigenen Keller« hervorzuholen. Natürlich ist all das auch ein Generationsthema, denn wir als so genannte »Nachkriegsgeneration« haben andere Möglichkeiten als unsere Eltern, deren Kindheit und Jugend vom Kriegsgeschehen geprägt war.
Während der eigene Weg für unsere Eltern sicherlich viel klarer vorgezeichnet war, viel mehr bestimmt von all den Regeln und äußeren Zwängen, sind wir in eine Zeit hineingeboren, in der diese Strukturen vehement hinterfragt wurden, und kein Kind unserer Zeit konnte sich dieser Fragestellung völlig entziehen. Und wie ergeht es dann den nachfolgenden Generationen, unseren eigenen Kindern? Profitieren sie wirklich von unseren Versuchen der Innenschau, der Arbeit an all diesen alten Mustern und den Ansätzen der Auflösung, wie sie in so vielen unterschiedlichsten Methoden angeboten werden, von einfachster therapeutischer Arbeit bis hin zur Rückführung in frühere Leben?
Oft ging dieser »innere« Weg bei Menschen unserer Generation Hand in Hand mit »äußerem« Engagement in sozialen oder politischen Bereichen, und heute wundert man sich oft, wie diese »Alternativen« belächelt werden von Jugendlichen. Sie können sich diese Lebenswirklichkeit nicht mehr vorstellen, genauso wenig wie wir das damals bei unseren Eltern konnten. So wie wir das von unseren Eltern Erarbeitete als selbstverständlich annahmen, so leben auch die Kinder unserer Zeit mit dem von ihren Vorfahren Errungenen, ob das nun der wachsende Wohlstand früherer Jahrzehnte oder eine größere Bewusstheit für

unsere Um- und Mitwelt, eine viel umfassendere Weltsicht in heutiger Zeit ist.

Wir bekamen scheinbar noch mehr Orientierung, erkannten aber, dass es nicht unbedingt die Orientierung war, die wir uns wünschten bzw., die wir wirklich brauchten für unsere Weiterentwicklung. Es war die Zeit der Suche nach neuen Wegen, der Aufbruch in eine »bessere Welt« und nun, da wir selbst erwachsen sind, wundern wir uns, dass sich diese bessere Welt noch so wenig manifestiert hat.
Unsere Kinder sehen sich wieder mit ganz anderen Fragestellungen konfrontiert als wir, und das, was wir ihnen mitgeben können, ist Aufmerksamkeit, Liebe, Vertrauen und ganz besonders die unbedingte Bereitschaft der Offenheit mit uns selbst.

Natürlich frage ich mich, warum mein eigener Sohn nun, im Alter von 22 Jahren, ähnliche Themen zu durchleben scheint wie ich damals im gleichen Alter.
Ich stellte mir all diese Fragen: Was ist meine Aufgabe? Was ist richtig, was falsch? Wie soll man leben? Und und und, doch hatte ich mich nicht befreit von all den anerzogenen, weitervererbten Normen, den Ängsten, hatte viel Arbeit zu leisten an deren Bewusstmachung bzw. Auflösung. Keinesfalls wollte ich ungelöste Themen weitergeben an mein Kind und doch musste ich wiederum erfahren, dass ich nur ein Glied in einer langen Kette von Themen und Aufgaben bin und auch mein Sohn diese für ihn unangenehme Zeit der Orientierungslosigkeit durchleben muss.

Was kann man seinen Kindern wirklich mitgeben auf ihren Weg? Das ist ein Thema, das mich schon in frühen Jahren beschäftigte, und irgendwann im Alter von 17 Jahren schrieb ich das wunderschöne Gedicht von Khalin Gibran »Über unsere Kinder« ab, rahmte es und hängte es auf im Wohnzimmer meiner Eltern. Es war die Zeit, als ich glaubte, meine Eltern an meinen Gedankengängen teilhaben lassen zu können. Mit missionarischem Eifer, über den ich heute lächeln muss, versuchte ich ihnen das zu vermitteln, was ich als ganz neue Erkenntnisse ansah. Ich sah sie nicht in ihrer eigenen Lebenswirklichkeit und erlebe nun selbst, dass genau das die Rolle der Jugend zu sein scheint: weiterzugehen und das, was wir heute wohl »besser« können als unsere Eltern damals, ist es, uns nicht zu verschließen vor all dem Neuen, was auf unsere Kinder einstürmt, mehr *mit* ihnen zu leben.

Ich wollte das Neue, das ich für mich erkannte, zusammen mit meinem Sohn leben und erfahre ihn aus heutiger Sicht als ganz wertvollen Begleiter, der dennoch seinen eigenen Weg gehen wird. Ich selbst erfuhr immer wieder diese zwei Seiten in mir: die eine, die all die in sie gesetzten Erwartungen erfüllte und die andere, die etwas ganz anderes wollte. Meinem Kind wollte ich keinerlei Erwartungen mit auf den Weg geben, wollte ihm nur all meine Liebe schenken und dachte manchmal, wie gut, dass da kein »Mann an Deiner Seite« ist, der auch noch Liebe einfordert von Dir, so hast Du alle Zuwendung für Dein Kind. Eine sehr egoistische Einstellung, wie ich später erkannte. Doch genauso, wie ich irgendwann merkte, dass meine Art des Aufwachsens nicht wirklich meinem eigenen Wesen entsprach, eher eine Art Sprungbrett war für das, was »meine Aufgabe« war, so hat sich wohl auch mein Sohn seine Eltern »ausgesucht« als Sprungbrett in sein ganz eigenes Leben oder, wie Khalil Gibran es bezeichnet, als den »Bogen«, der den Weg des Pfeiles vorgibt.

Das Privileg unserer Generation ist sicherlich, dass wir nicht mehr all den Zwängen unterworfen sind wie unsere Elterngeneration, zumindest nicht mehr in gleichem Maße, wobei ich erst im Nachhinein erkannte, dass es wohl noch viel Eigeninitiative erforderte, in den 80er-Jahren als allein erziehende Mutter voll im Berufsleben zu stehen. Mir selbst bot unsere damalige Gemeinschaft einen regelrechten Schutz, und in dem Lebensweg meines Sohnes wird natürlich auch diese »Gemeinschaft« eine wesentliche Rolle spielen. Dass er, obwohl, rechtlich gesehen ein »Einzelkind«, als Bruder innerhalb einer großen Geschwisterfamilie aufgewachsen ist, das ist sein Thema, und lange Zeit hatte ich selbst Probleme damit, ihm »seine Familie« irgendwie zuzugestehen, obwohl ich selbst doch lange Zeit Mutter dieser Kinder war, zuweilen auch Amme ... eine lange Geschichte.

Wie war das nun bei mir selbst, im Alter von 19 Jahren, als ich nach glänzend bestandenem Abitur, befreit von mündlichen Prüfungen, endlich das Elternhaus verlassen konnte, um in die ganz andere Welt des Studiums einzutauchen? Eine Welt, die mir endlich all meine Fragen beantworten sollte: Die Welt der Universität, der Bücher, des Geistes. Gleichzeitig war aber auch diese Unruhe in mir: Bekomme ich nun wirklich Antworten auf meine Fragen? Wie steht es z.B. mit meiner Unsicherheit Männern gegenüber, ein Thema, das bei allem Interesse an hochgeistigen Themen natürlich auch bei mir eine zentrale Rolle spielte. Dass ich mich ganz unbewusst wieder in die Arme meiner »Mutter« mit all ihren rigiden Vorstellungen, wie der Lebensweg einer jungen Frau zu verlaufen hat, begeben hatte, merkte ich erst viel, viel später, im Grunde erst, nachdem ich längst ausgezogen war aus unserem Zweier-Haushalt: Meine »Ersatzmutter« Marianna, später die erste Frau meines Bruders, und ich waren gemeinsam zum Studium nach Mainz gegangen. Marianna, obwohl fast gleichaltrig, hatte durch ihren eigenen Lebensweg bereits eine ganz eigene Selbstständigkeit entwickelt und schien somit die ideale Begleitung für mich zu sein.
Wir erlebten eine schöne Zeit miteinander, damals am Anfang unseres Studiums, hatten unterschiedlichste Kontakte, doch es war noch lange nicht mein Weg.

Im Gegensatz zu meinem Sohn heute bin ich damals diesen ganzen Ungewissheiten, dieser seelischen Unruhe irgendwann in der Form ausgewichen, dass ich jemanden fand, der die Fragen für mich beantworten konnte, natürlich nur scheinbar beantworten konnte, mir »meinen« Weg zeigte. Ich konnte aufhören, zu suchen. Ich gab die Verantwortung ab, hatte meinen Lehrer, meinen Guru gefunden, dem ich viele Jahre lang vertraute, unter dessen Schutz ich mich begab, um dennoch meinen ganz eigenen Weg zu gehen, erstmals weg von meiner Ursprungsfamilie, hin zu einer eigenen Familie und dann vor allem hin zu mir selbst. Doch es dauerte Jahrzehnte, bis ich all diese Zusammenhänge erkannte.

Jetzt befindet sich mein Sohn an diesem Punkt des Fragens, Suchens, Erwachsen-Werdens und erleichtert beobachte ich, dass er wohl nicht mehr so viele Umwege braucht wie seine Eltern, klarer den eigenen Pfad erkennt und vor allem äußerst misstrauisch ist gegenüber all denen, die eine Lösung parat zu haben scheinen. Sein Hauptbemühen ist es, seinen Weg selbst zu finden und zu gehen. Und ich blicke zurück auf die mehr als zwanzig Jahre gemeinsamen Lebens mit ihm und sage mir: Es hat sich gelohnt!!

5
Begegnung mit Hari

Natürlich waren mir all diese Zusammenhänge noch nicht bewusst, als ich im Alter von 20 Jahren Hari zum ersten Mal begegnete, einem Menschen, der von all den Erzählungen über ihn schon eine ganz besondere Position in meiner Vorstellung eingenommen hatte und den ich nie als den zukünftigen Vaters meines Sohnes gesehen hätte.
Auch konnte ich nicht ahnen, dass ich irgendwann, obwohl ich nur *ein* Kind geboren hatte, mich als Mutter von den Kindern fühlen würde, die Hari mit »seinen« anderen Frauen zeugte.
Wäre alles anders gekommen, wenn ich das damals, im Oktober 1974, bei unserer ersten Begegnung, gewusst hätte? Wie immer, kann man auf diese Frage nur antworten, dass der Lebensweg seinen eigenen Verlauf nimmt: Entscheidungen werden getroffen, Richtungen werden eingeschlagen und nie wird man erfahren, wie es anders gewesen wäre ...

Es war die Zeit, als sich viele neue Wege auftaten, ich mich wunderbar frei fühlte in dieser neuen Welt: das Fremdsprachenstudium, all das Neue eines eigenständigen Lebens und doch war da auch diese Unsicherheit in Bezug auf meine »Berufung«. Ich stellte mir diese Frage damals nicht wirklich, wartete vielleicht auf die, die es wieder mal »besser« wissen ...

Zum ersten Mal hörte ich von Hari über eine Mitstudentin, die gerade aus Indien gekommen war, begeisterte Anhängerin eines jungen Gurus, Guru Maharadji, der als neuer Heilsbringer verehrt wurde und bereits eine große Anhängerschaft in Deutschland hatte. Schon einige Zeit war diese Studentin selbst »Premie«, der Name, den sich die Anhänger des Gurus gaben, übersetzt »Liebende«, und ich begleitete sie öfter zu den abendlichen Treffen im »Ashram«. Hari traf ich dort nicht, doch mehr und mehr war ich gespannt auf ihn, den ich dann irgendwann auf einem Fest kennen lernen würde.

Das war eine ganz neue Welt für mich. Andere Religionen hatte ich kennen gelernt, über Bücher. Die griechischen Philosophen hatten mich im Alter von 17 Jahren so fasziniert, dass ich nächtelang nicht mehr schlafen konnte. Ich war wie elektrisiert von diesen Gedanken, versuchte, sie mit meiner Religion in Verbindung zu bringen, fragte vor allem mich selbst nach den Zusammenhängen, denn es gab niemanden sonst, den ich fragen konnte.

Und da taucht jemand auf, diese begeisterte Studentin, selbst auch im christlichen Glauben verwurzelt, die mit so viel Überzeugung von einem neuen Heilsbringer spricht. Ich wusste damals nicht, dass es die Zeit war, in der viele solcher Heilsbringer aus dem Osten kamen und dass sich neben dem Aufruhr in der politischen Szene diese neue Hinwendung zu Spiritualität überall ausbreitete.
Ich fühlte mich angezogen von ihrer Begeisterung, hörte im Ashram »Satsang« und konnte mich all diesen glückselig lächelnden Menschen nicht so recht entziehen. Sie hatten etwas, wonach ich so inbrünstig suchte: eine Überzeugung, eine Gewissheit in ihrem Glauben. Und doch war es noch nicht das, was ich für mich selbst suchte. Allerdings war da jemand, der es wieder mal »besser« zu wissen schien. Es war eine ganz andere Welt, und doch erlebte ich hier etwas, das tief in mir auf Resonanz stieß. Irgendwie schien ich hier *dazu*zugehören ...

Schon als Kind hatte ich aus dem Gefühl heraus, im Grunde ganz anders zu sein, nur diese Sehnsucht: Ich will dazu gehören. Die

Botschaft: »Ich bin doch wie ihr«, die ich durch das Erfüllen der in mich gesetzten Erwartungen übermitteln wollte, trug ich ständig in mir, aus Angst vor dem in mir, was ganz anders ist. Dahin traute ich mich nicht zu fühlen, noch lange nicht.

Du, meine Mutter, Du hast Dich nie täuschen lassen. Du hast gewusst, dass irgendwann etwas aufbricht in mir, woran Du fast verzweifeln würdest. Du hast es gewusst, geahnt, weil ich Deine Tochter war. Du hast es gewusst, doch es bewahrte Dich nicht vor dem Schmerz, den mein Lebensweg Dir dann bereitete. Natürlich war es kein wirkliches Wissen, eher eine Ahnung, eine verborgene Angst, die ich lange nicht verstanden habe. Ich war irgendwie eine Bedrohung für Dich, doch wieso, da ich doch diejenige war, die andererseits all Deine Wünsche an eine brave, intelligente, folgsame und fleißige Tochter erfüllte?

Irgendetwas in Dir muss das gefühlt haben, dass ich diese Rolle schon bald ablegen würde, mit einer Heftigkeit, die Deine Welt völlig erschütterte. Du hast es geahnt, weil Du selbst Deine eigenen Schatten nicht hervorgeholt hast, zu einer Generation gehörst, die sich nicht mit diesen verborgenen Wünschen und Sehnsüchten befassen wollte oder konnte, zumindest nicht in dem Maße, wie es die nachfolgende Generation tat.

Als ich Hari, von dem ich so viel gehört hatte und auf den ich gespannt war, dann im Oktober 1974 zum ersten Mal sah, war ich überrascht, einen ganz gewöhnlichen Menschen anzutreffen, äußerlich zwar attraktiv, doch insgesamt zurückhaltend und eher verschlossen in seinem Auftreten. Heute würde ich das interpretieren als eine Aura der Unnahbarkeit, die er sich zugelegt hatte und die ihn in eine Sonderposition rückte, ihn von den ihn umgebenden Menschen abhob.
Natürlich hatte ich ihn, beeinflusst durch die Schwärmereien anderer, schon gleich auf einen Sockel gestellt in meiner Vorstel-

lung, ein Verhalten, das ich noch lange beibehielt in Bezug auf Männer. Doch was mir vor allem gefiel bei dieser ersten Begegnung, das war das Gesamtbild: Hari kam mit Katharina, seiner damaligen Frau und, in der Tragetasche, die gerade mal einen Monat alte Edda: Die heilige Familie! Natürlich ist auch das mein Urteil aus heutiger Sicht, doch ich weiß, dass ich diese kleine Familie vom ersten Moment an für etwas ganz Besonderes hielt, schon deshalb weil ja Hari ein »ganz besonderer« Mensch war.

Es war eine Zeit, in der ich das Muster noch lange nicht durchschaute, in das ich mich immer wieder verfing: Den Glauben an das, was mir andere erzählten, das naive Vertrauen in die Tatsache, dass diese anderen es besser wissen. Ich war dabei, mich von den alten Glaubensvorstellungen und Bevormundungen zu lösen und schlitterte gleich in neue »Glaubenssysteme« hinein, die für mich jedoch den Reiz des Unbekannten und Neuen hatten.

Irgendwann wünschte ich mir das auch, einen »Mann an meiner Seite«, der meine geistige Suche mit mir teilt, der mich liebt und den ich liebe, mit dem ich mich austauschen kann und mit dem ich natürlich irgendwann eine eigene Familie haben würde. War das wirklich mein eigener Wunsch oder waren es nicht vielmehr die vorgefertigten Träume, die mir in der Zeit und in dem Alter zustanden, das, was zum natürlichen, vorgegeben Lebensmuster gehörte?
Denn ich weiß, dass dieses Wunschbild nicht allzu ausgeprägt in mir war, eher verschwommen in irgendeiner fernen Zukunft. Auch die Bemerkung, ich wolle sicherlich irgendwann ein Kind haben, aber nicht unbedingt einen Ehemann, stammte ja von mir und heute denke ich, man sollte mit seinen Wünschen vorsichtig sein, denn, wie im Märchen, erfüllen sie sich oft und man stellt überrascht fest, dass man sich seine Wirklichkeit selbst geschaffen hat.

Nicht als Mann interessierte mich Hari damals, sondern als jemand, der diese Rolle lebt: Ehemann, Familienvater, aber

nicht in der Enge einer Zweierbeziehung, wie ich sie vorwiegend kennen gelernt hatte in meinem dörflichen Umfeld: Partner, die sich nichts mehr zu sagen haben, Kinder, die unter all den Verhaltensmaßregeln und moralischen Vorgaben ihrer Umgebung zu ersticken drohen, Ehen, die halten, weil man eben zusammenbleibt. All meine Idealvorstellungen projizierte ich auf diese mir ganz unbekannte Familie: Hari und Katharina mit ihrer Tochter Edda, eine kleine Familie zwar, die aber einen ganz anderen Weg zu gehen schienen als allgemein üblich. Es ging um eine neue Art des Zusammenlebens, um das Thema eines gemeinschaftlichen Miteinanders, um Themen der Liebe, des Vertrauens, um Geborgenheit, um ganz neue Möglichkeiten des Aufwachsens für Kinder. Ich war fasziniert, wollte mehr darüber erfahren.
Als Katharina mich, eine ihr völlig Fremde, zur Begrüßung herzlich umarmte, war das für mich wie die Umarmung einer Mutter, eine Rolle, die sie in den Anfängen unserer späteren Gemeinschaft ja auch spielte. Ob schon damals irgendwo unser Weg vorgezeichnet war? Heute bin ich überzeugt davon, doch damals hätte mich die Vorstellung von dem, was wir zusammen erleben würden, zu Tode erschreckt: Ich selbst in einer Reihe von weiteren Nebenfrauen dieses Mannes, Katharina als meine engste Vertraute, die sich irgendwann sogar wünschte, dass ich Hari heiraten solle und eben nicht eine andere der »Nebenfrauen«. Undenkbar, solche Zusammenhänge, und noch heute ist Katharina überrascht, wenn ich ihr von dieser ersten Begegnung erzähle, weil sie sich zu dieser Zeit keinesfalls als die starke, mütterliche Persönlichkeit fühlte, als die ich sie empfand.

Noch heute sind wir auf eine Art befreundet, die aus dem, was wir miteinander erlebt haben, nicht zu erklären ist, sondern ihre Wurzeln in einer weit über dieses Leben hinausgehenden seelischen Verbindung hat. Es war einer jener lebensentscheidenden Augenblicke, die sich so klar und intensiv einprägen: Ihre strahlenden blauen Augen, ihre lustigen Sommersprossen, ihre angenehm warmen Hände. Ich war das Kind, das von seiner Mutter umarmt wurde, und es gab in mir keine Erinnerung an eine solche Umarmung durch meine leibliche Mutter.

Katharina selbst ist dieser Moment gar nicht gegenwärtig, da sie selbst sich in dieser Zeit ganz anders erlebte: naiv, unsicher, abhängig von Hari. Meine Erklärung dafür ist, abgesehen davon, dass jeder immer sein ganz eigenes Abbild von der ihn umgebenden Realität schafft, dass ich sie in diesem Moment als das sah, was sie von ihrem Wesen her für mich war, eben die mütterlich Liebende. Erst viel später wurde mir bewusst, dass ich auch bei den anderen Frauen, die irgendwann meine »Mitliebenden im Harem« waren, ihre Rolle im ersten Moment gesehen hatte, die Rolle eben, die sie in *meinem* Leben spielen würden. Wie unterschiedlich die Wege waren, die uns zusammengeführt hatten und wie unterschiedlich die, die uns wieder auseinander führten, das erkannten wir erst Jahrzehnte später, nach vielen gemeinsamen Jahren voller guter und weniger guten Erfahrungen.

Mehr als 20 Jahre später konnte ich bei Rückführungen in frühere Leben diese wie auch viele andere Beziehungen in meinem jetzigen Leben aufschlüsseln. Es waren wirklich stets alte Bekannte, die dieses Gefühl des »Sich-Kennens« auslösten, und es waren vor allem stets Menschen, mit denen es noch etwas zu »erlösen« gab.

Damals geschah das wie in einem Nebel. Ich geriet in einen Sog, aus dem ich erst 20 Jahre später wieder so richtig auftauchte, und doch war es *mein* Leben, das in dieser Zeit seine ganz eigene Richtung einschlug und durch die Geburt meines Sohnes ein ganz wesentlicher Lebensabschnitt werden sollte.
Mir gefällt dabei die Annahme von mehreren Leben, die man in einem häufig lebt, heute sicherlich noch mehr als früher, als nur einzelne Menschen aus ihren festgefahrenen Gleisen ausbrachen, während es heute solche Gleise gar nicht mehr in der Weise gibt,

wenn man allein die Vielschichtigkeit des Berufs- und Beziehungslebens betrachtet.

Somit wäre das damals der Eintritt in mein zweites Leben gewesen, während ich mich heute wohl am Beginn »meines dritten Lebens in einem« befinde. Und wie beim Eintritt ins eigentliche irdische Dasein, so geht auch der Beginn eines neuen Lebensabschnittes nie ohne die Geburtswehen vonstatten. Und auch da scheint es, als würde man in diesen neuen Abschnitt irgendwie hineingezogen oder -gedrängt, eben wie bei einer Geburt. Die vielen Entscheidungen, die man im Leben zu treffen hat, scheinen manchmal die ganz großen Wegkreuzungen gar nicht zu betreffen. Da sind es oft scheinbare »Zufälle«, die einen in eine neue Richtung bringen: Begegnungen, Bücher, Stimmungen, so viele Details, die zusammengenommen den Ausschlag geben für das Neue, neben dem das Alte meist noch eine Weile mitläuft.

Bei mir lief das Studium weiter, die Besuche zu Hause jedoch wurden seltener, und auch das Verhältnis zu Marianna wurde distanzierter. Auch sie hatte sich diese meine neue Welt angesehen, die sie ebenfalls durch unsere gemeinsame Bekannte kennen gelernt hatte, doch sie hatte schnell befunden, dass dies nichts für sie sei. Ihr Weg war ein anderer, weiterhin festgefügt in der Welt ihres Glaubens und dem Wunsch, bald mit dem passenden Partner eine Familie zu gründen. Sie fand ihn in meinem Bruder und somit gingen unser beider Wege damals ohnehin mehr und mehr auseinander, wobei wir uns wegen der familiären Bande jedoch nie aus den Augen verloren.
Allzu sehr schien es niemandem aufzufallen oder zu sorgen, wie ich immer tiefer einstieg in ein ganz anderes Gedankengut, in eine ganz andere Welt geriet.

Die Menschen, die ich nun kennen lernte, kamen tatsächlich aus einer ganz anderen Welt, waren eher Außenseiter, Ausgeflippte, oft ehemalige Drogenkonsumenten. Sie schienen aus einer Welt

der absoluten Unabhängigkeit zu kommen, hatten oftmals sämtliche Freiheiten eines selbst gewählten Lebensweges ausprobiert und kehrten nun zurück, um sich einer Art Heilsideologie unterzuordnen, wollten Frieden finden, glücklich sein in dem, was sie als das »Paradies auf Erden« anstrebten. Es schien so einfach, sich diesen Menschen anzuschließen.
Meine eigene Suche hatte mich noch nicht viel weiter gebracht als in die gedankliche Auseinandersetzung mit den Themen des Lebens, des Glaubens, der Sinnfindung. Bücher waren bisher meine Ratgeber auf diesem Weg gewesen. In die Welt der konkreten Erfahrungen hatte ich mich noch nicht allzu weit vorgewagt, auch nicht in Sachen Liebe.
Und hier waren nun Menschen, die all diese Erfahrungen bereits gemacht hatten, die das Glück auf unterschiedlichsten Wegen gesucht hatten und nun enttäuscht zurückkehrten. Da schien es doch einfach, sich hier anzuschließen. Den Umweg über missglückte Versuche, das Glück zu finden, könnte ich mir doch sparen. Andere hatten es versucht und waren gescheitert, und andere wussten es ja ohnehin besser. Außerdem lockte mich natürlich auch die Exotik dieser unbekannten Welt.

Die Samstage verbrachte ich anstatt wie anfangs im Ashram nun meistens im »Siddartha-Zentrum«, wo Hari nach und nach eine wachsende Zuhörerschaft um sich scharte. Während im Ashram die »Premies« eine Art fanatischen Eifer in ihren Ritualen der Guru-Verehrung einbrachten, glaubte ich in den Menschen um Hari und besonders auch in dem, was er erzählte, eine ansprechendere Art der Spiritualität zu finden: Er betonte das Entdecken der »eigenen Göttlichkeit«, ein Thema, auf das ich schon beim Studieren östlicher Religionen, vor allem des Buddhismus gestoßen war, wobei das was er erzählte, eine Art Gesamtschau vieler Philosophien und Weltanschauungen zu sein schien, im Zentrum immer wieder die Lehren Sri Aurobindos, bei dem das Thema der »Transformation der Materie«, das Auffinden des göttlichen Kerns in allem im Zentrum standen. Bei all dem betrieb

Hari schon damals einen regelrechten Körperkult, doch für mich war auch das eine neue Erfahrung: den Körper als etwas ganz Besonderes wahrzunehmen und zu schätzen, innere Spannungen durch gezielte Arbeit am Körper aufzulösen. Atemarbeit und Yogaübungen – eine neue Welt tat sich auf. Damit hatte ich mich bisher nicht beschäftigt. Ich war einem Menschen begegnet, der meine Fragen beantworten konnte. Dabei bemerkte ich damals gar nicht, dass ich ihm keine Fragen stellte. Ich konnte mich ihm anvertrauen, denn er wusste es ja »besser«.
Sicherlich fühlten sich nur bestimmte Menschen zu Hari hingezogen, doch auffallend ist, wie unterschiedlich deren Weltanschauungen, ihre Herkunft, ihre Bildung war. Jeder von ihnen fühlte sich auf ganz eigene Art angesprochen, und darin bestand sicherlich auch später Haris Erfolg beim Aufbau seines kleinen Familienimperiums, bestehend aus vielen Frauen und seinen zahlreichen Kindern.

Jeder, der mit Hari persönlich zu tun hatte und besonders die Frauen, die mit ihm gelebt haben, würden ihre ganz eigene Geschichte erzählen, natürlich noch viel mehr die zwanzig Kinder, deren Vater er war (Hari starb im Dezember 1999, zwei Monate nach meinem Vater). Es gibt da keine einheitliche Version und ich werde auch nicht versuchen, eine solche erstellen zu wollen. Ich kann nur meine eigene Geschichte erzählen, mit all den Beweggründen, die mich dazu brachten, gerade so zu leben, mit all den Erfahrungen, die mir diese Zeit bescherte, all den persönlichen Entwicklungsschritten, die mich irgendwann dazu brachten, auch diese Gemeinschaft zu »verraten«, so wie ich in den Augen meiner Mutter vor vielen Jahren meine Herkunft verraten hatte.

Auch das ein Uralt-Muster von mir, dass ich Umstände, die schon lange nicht mehr meine waren, zu lange aushielt, Menschen durch meine Angepasstheit in einer Schein-Sicherheit wog, um sie dann heftig vor den Kopf zu stoßen, wenn ich mich von ihnen abwandte, ein Muster, das man nur durch schonungslose Offenheit und Zu-sich-selbst-Stehen allmählich auflösen kann. Zu lange hatte ich gelernt, der Konfrontation mit meiner Mutter auszuweichen – einer Konfrontation, die niemals eine konstruktive Auseinandersetzung war, sondern aus Vorwürfen und Schuldzuweisungen bestand –, indem ich Dinge verschwieg, Tatsachen verdrehte und auch log, eine nicht gelungene Art des Sich-Abgrenzens.

Zu den Samstag-Abend-Treffen im »Siddartha« kamen immer öfter Wochenend-Aufenthalte in der Kleinstadt, wo Hari mit Frau und Kind lebte. Irgendwie war das Gefühl, dort lebe eine heile Familie, nicht mehr so eindeutig in mir. Angezogen hat mich weiterhin Katharinas mütterliche Art. Hari blieb mir etwas fremd, doch das war für mich in Ordnung; er war ja eine Art Lehrer für mich, der Guru, dem ich diese Rolle aufgrund seines Wissens und seiner Erfahrung in Bereichen, die ich gerade erst kennen lernte, gerne zugestand.
Einmal bei diesen Treffen, es war ziemlich am Anfang, schaute er mich lange an, bevor er den Satz sagte: »Du gehörst auch zu uns.« Der entscheidende Ausspruch, der magische Satz. Das Lasso war ausgeworfen, und die Schlinge hatte mich erwischt, begann sich langsam zuzuziehen.

Meist war bei den Treffen auch Ruth dabei, sie schien bald ganz bei Hari und Katharina zu wohnen; die enge Verbindung, die zwischen ihr und Hari bestand, war zu spüren. Doch das war nicht meine Sache, interessierte mich nicht weiter.
Natürlich ahnte ich nicht, wohin mich all das führen würde, spürte aber bald, dass ich mich so schnell nicht würde lösen können von all diesem Neuen, das so fremdartig für mich war und von dem ich mich doch so angesprochen fühlte, aufgehoben irgendwie. Ich wollte mich befreien von meinen Unsicherheiten, mich anderen Gedanken, anderen Menschen öffnen. In körperlicher Hinsicht fühlte ich mich zusehends wohler in der Zeit,

freier mit mir selbst. Die intensiven gemeinsamen Yoga-Übungen, all die Unternehmungen in der Natur, die Nähe unseres Zusammenseins, all das tat mir gut. Zu wenig hatte ich von einem körperbewussten Leben mitbekommen, hatte so etwas nie kennen gelernt.

Mein normales Leben ging weiter, auch das behielt ich dann viele Jahre bei, nahezu zwei Jahrzehnte: Die Fähigkeit, zwei unterschiedliche Leben zu führen, wobei das Andere, das Neue immer mehr in den Mittelpunkt rückte. Längst hatte ich nicht mehr die gewohnten Supernoten, anderes war wichtiger geworden. Und dann, irgendwann im Frühjahr 1975 die entscheidende Frage, ausgesprochen von Hari, während er seinen Arm um mich legte: »Und du, wann kommst du ganz zu uns?«

Das war in einer neuen, größeren Wohnung, die Hari für »die Gemeinschaft« angemietet hatte. Wenn ich mich damals sehe, so weiß ich, dass ich nur sehr vage Vorstellungen hatte von dem, was in dieser Gemeinschaft gelebt werden sollte. Die Idee war, eine neue Art des Zusammenlebens zu finden, innerhalb einer Lebensgemeinschaft aus Frauen und Männern mit einer spirituell ausgerichteten Lebensweise, wobei auch Themen einer gesunden Lebensweise viel Raum einnahmen: Vegetarische Ernährung, kein Alkohol, keine Drogen, nicht mal Kaffee oder schwarzen Tee gab es. Dabei war das Erstaunliche, dass es gar nicht nötig war, Regeln festzulegen. Die Menschen um Hari kamen vorwiegend aus dem Bereich der »Divine Light Mission«, der Name der Organisation um Guru Maharadji, und hatten somit schon eine entsprechende Lebensweise angenommen. Wir, die wir »von außen« kamen, passten uns an, und von Anfang an galt bei allem Haris Wort: Er war der Erfahrenere, der Ältere, sicher auch der Geschicktere darin, Menschen zu beeinflussen. Wir waren die lernbegierigen Schülerinnen und Schüler, die Jüngeren, und es war auch tatsächlich so, dass damals alle, die zu dieser Gruppe um Hari gehörten, junge Menschen zwischen 16 und 22 Jahren waren, während Hari, Jahrgang 1937, Ende 30 war.

Es war also, als Hari mir die entscheidende Frage stellte, gar nicht wirklich eine Überraschung für mich, denn ich wusste schon eine Weile, dass der nächste Schritt bald anstand, so als könnte ich die Menschen, die nun von mir erwarteten, dass ich »zu ihnen gehöre« nicht enttäuschen. Dass ich diesen Schritt noch hinausgezögert hatte, schrieb ich vor allem meiner eigenen Unsicherheit zu, meiner Angst vor Neuem, meiner Bindung an alte Normen und Regeln. Ich hatte mich, von meiner damaligen Weltsicht her, zwar in ganz andere Lebensbereiche vorgewagt, doch da gab es auch noch die Ursel, die einfach das Kind ihrer Eltern war und deren Eltern ganz bestimmte Erwartungen an das Leben ihrer Tochter stellten.
In diese Gemeinschaftswohnung zu ziehen würde für mich auch bedeuten, den Studienort zu wechseln und das müsste ich meinen Eltern erklären können. 21 Jahre alt war ich und ich übte mich darin, mich abzunabeln, ein mühsamer Prozess.

Unsere damalige Zweier-WG mit Marianna hatte sich bereits aufgelöst. Mein Bruder Heiner war ein-, ich ausgezogen. Nach einer kurzen, sehr einsamen Zeit in einem schrecklichen Speicherzimmer zog ich in Wiesbaden mit zwei »Premies« zusammen, denn das war eine Zeit, in der sich Anhänger von Guru Maharadji zusammentaten in Wohngemeinschaften und ich hatte die Adresse über den Ashram bekommen, da ich ja auch dort irgendwie dazugehörte.

Wohl fühlte ich mich nicht in dieser kurzen Zeit in Wiesbaden. Mich verband im Grunde kaum etwas mit meinen beiden Mitbewohnern, zwei Jungs, jünger als ich, irgendwie über Interesse an Esoterik zu Anhängern Guru Maharadjis geworden. Es gab keine wirkliche Verbindung zwischen uns, da ihre Interessen sich vordergründig auf das wohlige Gemeinschaftsgefühl zu beschränken schienen, das die »Premies« im Ashram verbreiteten.
Die Gemeinschaft um Hari entsprach meiner Suche viel mehr. Die Lehren von Sri Aurobindo, den Hari als seinen Meister

bezeichnete, schienen mir gar nicht so weit entfernt von dem, was ich inzwischen bei Teilhard de Chardin gelesen und was mich dort fasziniert hatte: Transformation der Materie als zentrales Thema bei dem indischen Guru, die Suche des Geistigen in der Materie bei dem einstigen Jesuiten.

Wie so oft in dieser Zeit war ich begeistert davon, endlich Zusammenhänge erkennen zu können zwischen einzelnen Religionen, zwischen unterschiedlichen Weltanschauungen. Natürlich war bei all den geistigen Höhenflügen auch immer wieder dieser Wunsch in mir, diese tiefe Sehnsucht, meine Art zu leben in Einklang bringen zu können mit den Lebensphilosophien, die mich in dieser Zeit immer mehr beschäftigten, wie zum Beispiel auch die Lebensauffassung der Amerikanischen Transzendentalisten, bei denen Ralph Waldo Emerson und Daniel Thoreau mich mit ihren Schriften begeisterten. Noch glaubte ich für den nun eingeschlagenen Lebensweg unterschiedlichste Bestätigungen zu finden. Es musste eine Möglichkeit geben, *anders* zu leben, bewusster, einfacher, mit mehr menschlicher Nähe, mit einer Ausrichtung auf etwas Übergeordnetes, sei es ein Glaube, eine Weltanschauung, eine Philosophie. Ich wollte meine Aufgabe in diesem Leben finden und ahnte damals keinesfalls, dass diese Suche allein schon zur Lebensaufgabe werden kann, denn das Leben bietet immer wieder seine Teilaufgaben, Teilthemen, und erst allmählich bekommt man einen Überblick, kann die einzelnen Bilder mehr und mehr zu einem Gesamtbild zusammenfügen.

Ich war dabei, meinen Weg ins Erwachsenenleben zu finden und traf auf jemanden, der mir scheinbar den Weg zeigen konnte. Dabei merkte ich nicht, dass ich das Ruder für mein Lebensschiff aus der Hand gab bzw. einfach in ein Boot stieg, das seine Richtung zu kennen schien.
Woher Hari überhaupt kam, woher sein Wissen stammte, wie er zu dem wurde, was er für eine kleine Gruppe von Menschen dann

viele Jahre lang blieb, ihr geistiger Lehrer, ihr »Guru«, all das erfuhr ich erst viel später. Es war mir nicht wichtig damals. Was zählte, war das Gefühl, irgendwo angekommen zu sein, ein Ziel zu haben, meinem Leben einen tieferen Sinn geben zu können. Hari als mein Liebhaber, Hari als Vater meines Kindes, völlig undenkbar für mich in dieser Zeit.

Den alten Wohnort hatte ich bereits verlassen, der nächste war nur eine Übergangslösung. Eine größere Veränderung stand an: Der Umzug in Haris neu gegründete Lebensgemeinschaft. Dass ich ab dem Wintersemester 1975, meinem fünften Studiensemester in Hessen weiterstudieren könnte, hatte ich bereits geklärt, doch wie sollte ich diesen Wechsel meinen Eltern erklären? Auch wenn ich meine Entscheidungen selbst traf, so war es mir zu der Zeit noch ein Bedürfnis, meinen Eltern meine Schritte zu erklären, obwohl die Erklärungen immer schwieriger wurden und schon bald der Zeitpunkt kommen würde, da ich es gar nicht mehr versuchte.
Ich hatte damals, besonders Mutter gegenüber, eine Methode entwickelt, ihr meine Entscheidungen, von denen ich wusste, sie würde sie missbilligen, auf eine Art mitzuteilen, die sicherlich extrem unnachgiebig und hart wirkte. Wie oft weinte ich später selbst über diese Härte, doch ich wusste auch, dass ich *meinen* Weg gehen wollte und ich schaffte es nicht, einfach alle Zelte hinter mir abzubrechen. Heute denke ich, dass ich irgendwie immer wieder eine Absolution erwartete für das, was ich tat, nicht wirklich und ganzherzig hinter meinem Tun stand. Ich verlor mich in Erläuterungen und verstand erst sehr viel später, dass meine Eltern in ihrer eigenen Welt lebten und ich erst allmählich dabei war, meinen Platz zu finden. Das, was ich Ihnen erklären wollte über meinen Weg, das waren Erläuterungen, die ich im Grunde mir selbst geben wollte, denn ich war dabei, mich auf einen Weg zu begeben, der allem zuwiderlief, was ich mir jemals vorgestellt hatte als zukünftiges Leben.

Als ich meinen Eltern erzählte, dass ich den Studienort ändern würde, reagierte Mutter so, wie ich es inzwischen kannte: Fragen, Vorwürfe, Unverständnis. Von ihr wollte ich die Absolution, dass das, was ich tue, in Ordnung ist. Doch für sie war längst nichts mehr in Ordnung, sie ahnte, dass die Entwicklung nicht mehr aufzuhalten war, ich mich immer weiter entfernte von ihrer Welt, aber auch von der Welt meiner eigenen Träume und Vorstellungen.
Vater, der immer an mich glaubte, egal, was ich tat, fand auch hier eine Erklärung: »Wenn man über berühmte Leute liest, so haben die nie nur an einer Uni studiert«, meinte er.
Was habe ich ihn geliebt für diesen so naiv ausgesprochenen Satz. Da war alles darin: Sein Stolz auf mich, seine »studierte« Tochter. Sein Vertrauen, dass ich es zu etwas bringen würde und auch seine Bereitschaft, mir zu helfen, denn Mutter war in ihrem Ehrgeiz angesprochen und der Wind war ihr aus den Segeln genommen.
Dabei war ich selbst so blind in dieser Zeit, so unsicher, wohin dieser neu eingeschlagene Weg mich führen würde. Doch nur ein völlig ver-rückter Schritt konnte mich damals aus den so festgefahrenen Gleisen reißen, mich so weit weg-rücken von all meinen bisherigen Lebensvorstellungen.

Als ich dann aufbrach in dieses so andere Leben, direkt nach den letzten Veranstaltungen des Sommersemesters, das geliehene Auto meines Vaters vollbeladen, fühlte ich mich wie in einem Traum gefangen. Irgendwie mutterseelenallein und fast tranceartig legte ich die Strecke zu meinem neuen Wohnort zurück. Dabei fragte ich mich, ob dieses Trance-Gefühl, dieses Benebeltsein von all den Düften im Auto herrühren könnte, denn ich hatte allerhand mitgebracht aus der Pfalz, die letzten Erdbeeren und viele Kirschen, von denen ich auch schon eine ganze Menge verspeist hatte. War ich vielleicht trunken von Kirschsaft?
Noch heute kann ich genau diesen Moment in mir abrufen: Den Duft des frischen Obstes im Auto, die Schwüle, mein Kopf, der

seltsam schwer war, verworrene Gedanken und bei all dem auch wieder eine gewisse Leichtigkeit, die Freude, etwas gemeistert zu haben, etwas hinter mir zu lassen, wobei das, was vor mir lag, noch im Unklaren war, recht verschwommene Konturen hatte.

Das Einzige, was in gewohnten Bahnen weiterlaufen würde, das war mein Fremdsprachenstudium mit dem Ziel, Lehrerin zu werden, doch es war schon abzusehen, dass ich wenig vom studentischen Leben mitbekommen würde an der neuen Universität. Der Schwerpunkt in meinem Leben hatte sich bereits verlagert; das Zentrum bildete die neue Lebensgemeinschaft um Hari, der ich nun ganz angehören würde.

Ein völlig neuer Lebensabschnitt hatte begonnen.

6
Die Gemeinschaft

Wir waren junge Frauen und Männer um Hari, mehr Frauen als Männer, und nach und nach bildete sich eine feste Lebensgemeinschaft heraus, ein Kern von zwei Männern und sechs Frauen, dazu zwei Paaren, die in der Nähe wohnten und oft bei uns waren, in der Mietwohnung in der hessischen Kleinstadt, die mein Zuhause wurde für weitere drei Jahre.

Unser Alltag hatte feste Konturen: Am frühen Morgen trafen wir uns zu gemeinsamen Yoga-Übungen im »Sonnenraum«. Von Anfang an hatten die unterschiedlichen Räume bestimmte Namen, das blieb auch so auf unserem späteren Grundstück, dem Bauernhof in der Wetterau.

Es war der größte Raum unserer Mietwohnung, zum Marktplatz hin gelegen, bei Sonnenschein auch tatsächlich sonnendurchflutet, mit goldgelben Vorhängen und einer von Hari angefertigten Holzskulptur, die eine Art Sonnengott darstellte. Auch der Teppich, auf dem wir unsere Übungen machten, war vorwiegend sonnengelb.

Ich liebte diesen Raum, hatte beim Vorhängenähen gleich meine Nähkünste sinnvoll einsetzen können. Das war überhaupt das Ausschlaggebende in diesen ersten Monaten in der Gemeinschaft: das Gefühl, meinem Leben einen ganz besonderen Sinn geben zu können. Ich nähte nicht mehr hübsche Sachen für mich und Marianna, in denen wir um die Gunst der jungen Männer wetteifern konnten, ich nähte Vorhänge für ein Zuhause, in dem ich mich vollkommen angenommen fühlte, in dem ich gefühlsmäßig mein Heim gefunden hatte.

So war es auch mit all den anderen Dingen des täglichen Lebens: Das Arbeiten, um Geld zu verdienen, das Einkaufen, die Freizeit, die man miteinander teilte, alles war einem »Größeren« unterstellt, wobei mir natürlich heute, Jahrzehnte später, die sektenartige Struktur unserer Gemeinschaft bewusst ist. Doch damals war es in erster Linie mein neues Zuhause geworden.

Zum Alltag gehörte es, dass nach dem frühmorgendlichen Zusammensein jeder seiner Arbeit nachging bzw. seine Aufgaben innerhalb der Gemeinschaft erfüllte. Es gab keinen festgelegten Plan, wie das auszusehen hatte. Von Anfang an galt Haris Wort und niemand machte es ihm streitig; jeder erkannte ihn an als denjenigen, der den Überblick hatte, der in seiner Bewusstseinsentwicklung »weiter« war als wir.
Für mich öffneten sich so viele neue Türen und ich merkte gar nicht, wie sehr sich die Tore zu der Außenwelt immer mehr verschlossen in diesem abgeriegelten Dasein. Die Türen, die sich öffneten, das waren all die für mich neuen Themen einer alternativen Lebensweise, die irgendwie genau meinem inneren Sehnen zu entsprechen schienen: Einfach leben, dem Konsum den Rücken kehren, sich bewusst ernähren mit nahrhaften und gesunden Lebensmitteln, Genussgifte meiden, ein gemeinsames Ziel im Auge haben, sich geistig weiterentwickeln, Kindern eine neue Freiheit des Aufwachsens ermöglichen – so vieles, was mir mit der Zeit zu einer selbstverständlichen Lebensweise wurde.
Hari war für uns derjenige, der all das was in dieser Zeit auf den Markt kam im Bereich Esoterik, Spiritualität, gesunder Lebensweise vorsortierte, um die Bücher und Themen in die Gemeinschaft zu bringen, die seiner Ansicht nach wichtig und bewusstseinsfördernd waren.

Somit war natürlich das, was uns aus der Außenwelt erreichte, Haris Auswahl, doch wir durchliefen auch eine ähnliche Entwicklung wie andere Menschen, die sich damals im Bereich der alternativen Lebensformen versuchten. Allerdings hatten wir auch die Verantwortung für unser Leben abgegeben, vertrauten uns jemandem an, der es besser zu wissen schien. So geschützt vor der bedrohlichen Außenwelt, behütet in unserer selbst gewählten Großfamilie, konnten wir das Erwachsenwerden hinauszögern, indem wir uns einer übergeordneten Lebensaufgabe, einem Ziel, einer Idee unterordneten.

Weiterhin gehörten als ganz wichtiges Element zu unserem Tagesablauf die abendlichen Zusammenkünfte zum »Satsang«. Das hatte ich bereits in den Ashrams kennen gelernt, wo die meist jungen Leute in Meditationshaltung saßen, alle ausgerichtet nach vorne auf eine Art Altar mit Bild des Gurus. Wer sich inspiriert fühlte etwas zu sagen, kam nach vorne, setzte sich vor die Gruppe und sprach. Meist ging es dabei um all die Erlebnisse, die man während der Meditation hatte, um die Bereicherung, die das eigene Leben durch die Begegnung mit Guru Maharadji erfahren hatte, aber auch um eigene Ängste und Unsicherheiten auf dem Weg zur »Erleuchtung«.

Auch *unsere* abendlichen Zusammenkünfte nannten wir »Satsang geben«, doch es lief etwas anders ab: Wir saßen gemeinsam im Kreis auf dem Boden, in Stille, und wer etwas sagen wollte, begann zu sprechen. Manchmal ergriff Hari die Initiative, indem er jemanden ermutigte, etwas zu sagen, häufig einfach durch intensiven Blickkontakt. In jedem Fall entwickelten sich diese Zusammenkünfte mehr und mehr zu einer Art »Gehirnwäsche«, denn Hari unterbrach denjenigen, der sprach, wenn er zuviel »im Mind« sei, das heißt, in Gedanken abdriftete, anstatt in der Meditationsschwingung zu verweilen. Auch diesen Begriff hatten wir von den Premies übernommen: Du bist »im Mind« bedeutete, du gehst wieder in deine alten Gedankenmuster, anstatt dich für kosmische Eingaben zu öffnen. Ganz subtil hatte Hari begonnen, unsere Bewusstseinsentwicklung zu steuern. Die Verbindung zu den Premies um Guru Mahardji nahm in dem Maße ab, in dem sich unsere Gemeinschaft stabilisierte, und das geschah vor allem durch die Kinder, die mehr und mehr das Fundament unserer Großfamilie bildeten, Kinder, gezeugt von Hari mit unterschiedlichen Frauen in der Gruppe.

Was mich unruhig machte manchmal, das war mein eigentlicher Lebenstraum, den ich immer noch irgendwo in mir trug, den Traum, irgendwann eine eigene Familie zu haben. Doch hatte ich nicht schon als Mädchen erzählt, ich wolle irgendwann Kinder haben, aber nicht unbedingt einen Mann? Für mich war es auch eine Zeit innerer Verwirrung und Zerrissenheit.
Doch was mich am meisten verunsicherte in unserer Gemeinschaft, war die Tatsache, dass ich allmählich erkannte, dass es keineswegs eine zölibatäre Lebensgemeinschaft war, dass Hari, der mit Katharina verheiratet war, auch zu anderen Frauen sexuelle Beziehungen hatte.
Ich selbst hatte zu dieser Zeit keinerlei Erfahrungen auf diesem Gebiet und fühlte mich irgendwie geschützt in meiner Unsicherheit in Bezug auf Sexualität. In diesem meinem neuen Leben spielte es keine Rolle, dass ich noch nie mit einem Mann geschlafen hatte. Ich konnte mich in Ruhe – so glaubte ich – meiner eigenen Entwicklung hingeben, mir Zeit lassen, irgendwie meinen Weg zu finden.

Dieses Thema hatte mich über viele Jahre begleitet: Eine gewisse Scheu, mir eingestehen zu müssen, dass ich eine »Spätentwickelte« war. Viel früher war es die Angst gewesen, jemand könnte irgendwann erfahren, dass mich noch nie ein Junge geküsst hatte. Später dann die Unerfahrenheit in Bezug auf Sexualität. Einerseits wollte ich eine bestimmte Rolle spielen, mich selbstständig und locker geben, andererseits fürchtete ich, jemand könnte meine Naivität aufdecken, mich irgendwie »ertappen«. Bei all dem ging es keineswegs um mein eigenes Gefühl, sondern immer um die Angst vor dem Urteil anderer. Dieser enorme Druck war erstmals von mir genommen.

Ich glaube, auch heute, drei Jahrzehnte später, erleben junge Menschen häufig noch diesen Druck, mit anderen Schritt halten, gewisse Erfahrungen sammeln zu müssen, und bei aller Aufgeschlossenheit bekommen solch wesentliche Themen wie Liebesbeziehungen immer noch viel zu wenig Raum, werden erst aufgegriffen, wenn es zu »Störungen« kommt, wobei nie darüber aufgeklärt wurde, wie normalerweise Beziehung gelebt werden kann.

Mein Interesse an Sexualität erwachte auf dem Umweg über die Spiritualität. In dem Maße wie ich, entgegen einer eher körperfeindlichen Erziehung, meinen Körper neu entdeckte, mich wesentlich freier mit mir selbst fühlte, allerdings immer im Schutz unserer Gemeinschaft, wuchs auch meine Sehnsucht nach körperlicher Nähe zu einem Mann, und dieser Mann war wie selbstverständlich dann für mich Hari. Sicherlich war bei all den unguten Entwicklungen, die unsere Lebensgemeinschaft später nahm, dies ein ganz entscheidender positiver Aspekt für meine ganz persönliche Entwicklung geblieben: Ich hatte alle Zeit, die ich brauchte, für mein »sexuelles Erwachen«, fühlte keinerlei Druck, dem sich sicherlich viele junge Menschen oft ausgeliefert sehen, diese Angst davor, bestimmte Erfahrungen noch nicht gemacht zu haben, die in einem gewissen Alter einfach notwendig zu sein scheinen. Was ich selbst in Hari hineininterpretierte war mein eigenes Thema, eine Möglichkeit, mich zu schützen vor der »bösen« Männerwelt, die als Erbe meiner streng katholischen Entwicklung noch tief als moralische Instanz in mir wurzelte, doch was mir als Geschenk für meine Entwicklung als Frau blieb, war die Tatsache, dass mein erster und lange Zeit einziger Mann ein sehr erfahrener Liebhaber war, ein Liebhaber, der mir schon deshalb meine Zeit lassen konnte, weil er ja genügend andere Frauen hatte. Sexualität verlor für mich mehr und mehr ihre bedrohliche Seite, da sie in eine spirituelle Dimension gerückt schien.

Konkret sah das dann so aus, dass Hari sich die Frau für die Nacht auswählte, die seiner Meinung nach am »bewusstesten« war – oder einfach am längsten wach blieb bei unseren Abendmeditationen. Ein Thema, über das Dorothee und ich dann 25 Jahre später, als die Gemeinschaft sich aufgelöst hatte, unendlich viel lachen konnten, weil wir unsere Naivität von damals sahen, unsere Abhängigkeit, unseren kindlichen Glauben an den, der weiser war als wir. Doch das Lachen lernten wir erst viel später wieder, unser Leben damals war zuweilen eine sehr ernste Sache. Auch das ist etwas, was ich lange nicht wahrgenommen hatte: wie ernsthaft wir alle mit der Zeit geworden waren, wie wenig Freude wir Erwachsenen miteinander teilten und wie sehr unser Bedürfnis nach Leichtigkeit und Lachen nur mit der Welt der Kinder verbunden war.

Erst als ich schon in der neuen Lebensgemeinschaft wohnte, erfuhr ich, dass Hari vor seiner Ehe mit Katharina schon einmal verheiratet gewesen war. Zwei Söhne gibt es aus dieser ersten Ehe, der einzigen Verbindung mit einer etwa gleichaltrigen Frau, die seinen Schritt in ein so anderes Leben wohl nie verstanden hat, wie ich am Rande mitbekam durch Briefe oder auch Kontakte, die Hari noch eine Weile unterhielt. Es war die Zeit, als ich allmählich verstand, welche Art von Gemeinschaft Hari vorschwebte: Im Grunde sollte auch seine erste Frau dabei sein, zusammen mit ihren Kindern, denn das war und wurde immer mehr zu einer Art Besessenheit für ihn: dass »seine« Frauen bei ihm blieben und seine Kinder mit ihren jeweiligen Müttern gemeinsam aufwachsen sollten. Noch betrachtete ich das mehr von außen. Ich war ja nicht »seine« Frau, noch nicht.

Was mich trotzdem mehr und mehr an die Gemeinschaft, meine neue Familie band, war dennoch Liebe. Zum einen eine wachsende Selbstliebe, da ich mich nach und nach mehr entdeckte, meine eigenen Sehnsüchte und Wünsche, losgelöst von den anerzogenen Regeln und Moralvorstellungen, zum anderen aber auch die Liebe zu Kindern, zu »unseren« Kindern, auch das ein Ergebnis der Gehirnwäsche, an der ich zwei Jahrzehnte später vieles abzuarbeiten hatte: dieses Gefühl, das seien »unsere« Kinder, ich trage Verantwortung für alle diese Wesen, die nach und nach in unserer Gemeinschaft geboren wurden.

Auros Geburt, Katharinas zweites Kind, war ein Gemeinschaftserlebnis, eine Hausgeburt, bei der einige von uns dabei waren und an die ich mich dennoch nur verschwommen erinnern kann. Auro wurde später »mein erstes Kind«, das Kind, bei dem ich zum ersten Mal eine Ahnung davon bekam, was Muttergefühle sind. Als er einige Monate alt war und Hari mit Katharina eine Woche Urlaub machte, da entwickelte sich ein tiefes Mutter-Kind-Verhältnis zwischen uns. Von da an war ich seine »Ursu«, ein Name, den ich dann lange beibehielt, bis viele Jahre später – Katharina hatte die Gemeinschaft verlassen mit inzwischen vier Kindern – mein neuer Name »Usi« von einem anderen Kind unserer Gemeinschaft kreiert wurde.

Es war die Zeit, in der meine Rolle festgelegt wurde, einfach so, weil ich in sie hineinwuchs: die Mutterrolle, Mutter für »unsere« Kinder, wie Hari oft sagte und es dauerte sehr lange, bis ich allmählich von der fixen Vorstellung Abstand nahm, meine Aufgabe sei die Mutterrolle für alle Kinder in unserer Gemeinschaft. Doch bis dahin war noch ein weiter Weg zu gehen. Ich musste zunächst noch viel tiefer eindringen in dieses so andere Leben, noch weit intensiver verstrickt werden in Muster, die ich erst Jahrzehnte später als meine ganz eigenen Lebensmuster erkannte und auflösen konnte.

Wie gut kenne ich Dein Gesicht, Mutter, wenn Urs von seinen »Geschwistern« sprach. Es war und bleibt ihm ein Bedürfnis, das immer zu betonen, dass es seine Geschwister sind, dass er stolz

darauf ist, so viele Geschwister zu haben, auch wenn er für mich, seine Mutter, ein Einzelkind ist.
Wenn ich früher jemanden mitbrachte von den Kindern, setztest Du immer diese Miene auf: verkniffener Mund, Vorwurf, und ich bemühte mich, vor allem nur diejenigen seiner Geschwister mitzubringen, die Du als seine Freunde akzeptieren konntest, wobei ich davon überzeugt bin, dass es vor allem darum ging, das Thema in Deiner Welt unterzubringen bzw. Fragen, die gestellt werden könnten, im Dorf, in der Verwandtschaft, beantworten zu können. Es waren gleichaltrige Freunde von Urs, die mitkamen und manchmal schien es mir, als wolltest Du das selbst für Dich glauben, um Dich nicht der Tatsache stellen zu müssen, dass Deine Tochter einen moralisch verwerflichen, völlig unmöglichen Lebensweg eingeschlagen hatte. Wobei all das in einer Zeit geschah, als sich allein durch die Präsenz von Urs, einem neuen Enkelkind in Eurem Leben, die Wogen längst einigermaßen geglättet hatten. Irgendwie schient Ihr Euch arrangiert zu haben mit dem Gedanken, dass ich allein erziehende Mutter bin, die ja, und das war das Wichtigste, weiterhin einem ordentlichen Beruf nachgeht, Beamtin und damit gut versorgt ist. Ja, und da war inzwischen auch das Haus, das laut Grundbuch mir zu gehören schien oder etwa doch nicht so richtig?

Du, Mutter, konntest Dir inzwischen aus dem Leben Deiner Tochter mit ihrem Sohn die »Rosinen« rauspicken, das heißt, es gab genug, was irgendwie stimmig schien, vor der Welt einigermaßen vertretbar. Was nicht passte, konnte man ja ausblenden. Das gab es einfach nicht, so wie Du gerne geleugnet hättest, dass es da auch einen Vater gab, so wie Du nie gerne hörtest, wenn Urs von seiner »Berliner Oma« sprach.
Heute weiß ich, dass Du durch diese andere Seite in unserem Leben, konkret durch die anderen Kinder, die ich gelegentlich mitbrachte, immer erinnert wurdest an die vielleicht dunkelste und schrecklichste Zeit im Deinem Leben als Mutter: den »Fall« Deiner ältesten Tochter. Mein Bruder meint, Du habest am Anfang

auch Urs stets mit diesem kritisch-vorwurfsvollen Blick angesehen. Kann sein, ich habe es nicht bemerkt, da Urs das Beste und Liebste ist, was mir in meinem Leben geschenkt wurde und alles aufwog, was an Unebenheiten manchmal so extrem schwierig erschien.
Vater jedenfalls hatte Urs schon bald tief ins Herz geschlossen, und zwischen ihnen entwickelte sich eine wunderbare Großvater-Enkel-Beziehung. Auch Du, seine Oma, hattest einen wichtigen Platz in seinem Herzen, und er konnte all das, was Du getan hast, so wertschätzen. Ihr wurdet ein tolles Team, später beim Erdbeeren-Verkauf an der Straße, zwei echte Krämerseelen, die sich da gefunden hatten und auch mal so richtig zanken konnten. Wie liebte ich Dein Lächeln, Mutter, wenn Du ihm dann sein Lieblingsessen, eines von so vielen, die nur Oma zubereiten konnte, serviertest mit der Bemerkung »Na, wollen wir uns wieder vertragen?« Ja, und wie schön war es, wenn Urs Dich einfach mal fest in die Arme schloss und Du, die solch körperliche Nähe bei Deinen eigenen Kindern immer gescheut hat, froh schienst über diese spontanen Liebesbezeugungen. Zumindest mein Kind bekam das von Dir bzw. er holte es sich einfach, was ich mir stets ersehnt hatte.

Welche unterschiedlichen Lebensmuster ergeben sich oft nur aus diesem einen zentralen Wunsch nach inniger körperlicher Nähe, die jedes Kind erst mal bei der Mutter sucht. Welche Anstrengungen unternimmt jedes kleine Wesen, um diese Zuwendung auch dann noch zu bekommen, wenn es seinen eigenen Weg einschlägt, seinen Charakter, seine Persönlichkeit entwickelt. Wie sehr fällt man immer wieder zurück in dieses Muster des Beachtet-Werden-Wollens, einfach aus all diesen nicht erfüllten kindlichen Bedürfnissen heraus. Und wie oft kommt man auch in erwachsenen Liebesbeziehungen an den Punkt, wo man zum kleinen Kind wird, das einfach nur von der Mutter in den Arm genommen werden will.
Komischerweise gibt es nur ein einziges Foto, auf dem meine

Mutter mich im Arm hält, ein Bild, das sich mir tief eingeprägt hat, weil ich die Distanz spüre, die zwischen der Mutter und ihrem kleinen Mädchen zu sein scheint.
Natürlich weiß ich heute um die Chancen, die sich jedem Wesen bieten, aus Enttäuschung immer weiter zu suchen, um dann auch im Erleben menschlicher Nähe, im Eintauchen in tiefe Liebesbeziehungen immer wieder an den Punkt zu kommen, wo man die eigentliche Sehnsucht erahnt, dieses tiefe Sehnen nach Ganzwerden, nach Einssein, diese Sehnsucht nach dem, woher wir kommen.

Immer wieder im Laufe meines Lebens kam mir Großmutters Eintrag in mein Poesiealbum in den Sinn und bei aller Einfachheit begann ich erst nach und nach die tiefe Wahrheit in diesem einfachen, mit zittriger Handschrift geschriebenen Satz zu erahnen: »Unser Herz ist unruhig, bis es ruht in Dir, oh Gott.« Auch wenn ich mich später heftigst abwandte von dieser kindlichen Gottesvorstellung, mit der ich aufgewachsen war, so war mir dieser Satz oft gegenwärtig und im Geiste formulierte ich ihn so, wie er gerade meiner augenblicklichen Lebenssituation entsprach. Die Bilder veränderten sich, der Name »Gott« wurde durch andere Begriffe ersetzt. Auch das »Herz« bekam andere Bezeichnungen, doch nie habe ich den eigentlichen Wahrheitsgehalt dieser Worte angezweifelt.

Meist folgen ja die einzelnen Stationen, in denen sich diese Sehnsucht nach Einswerden, ausgedrückt in der Sehnsucht nach dem Anderen äußern, einer ähnlichen Abfolge. Da ist die kindliche Sehnsucht nach der Mutter, der Geborgenheit in einer Familie, da ist die Sehnsucht, sich selbst in der Liebe zu einem anderen zu finden oder zumindest mehr zu erkennen, da ist vielleicht die Sehnsucht, sich in seinen Kindern wieder zu finden, in späteren Lebensjahren mögen es mehr die Aufgaben sein, ein Erfülltsein auch in geistigen Ausrichtungen. Natürlich bietet kein Lebensweg eine lineare Abfolge dieser einzelnen Lebensthemen, die

Muster verweben sich zu dem, was für jedes Individuum seinen Teppich ausmacht.

Meine tiefsten Sehnsüchte erlebte ich zunächst am meisten erfüllt in der Begegnung mit Kindern, besonders mit Babys. Das war etwas ganz Neues für mich, dieses Vertrauen, das mir da entgegengebracht wurde, diese Zuwendung, dieses wunderbare Gefühl, so einen kleinen Menschenkörper an mich zu schmiegen. Ich hatte es ansatzweise erlebt, damals, als meine Schwester Sonja geboren wurde, ich selbst bald zehn Jahre alt war, ein »großes, vernünftiges Mädchen«. Wie lauschte ich, wenn ich abends im Bett lag, darauf, ob Mutter hochkäme mit dem kleinen Baby, das nicht schlafen wollte und das eine Weile zu mir ins Bett durfte. Wie schön war es, sich mit diesem kleinen Wesen unter die Decke im Warmen zu kuscheln! Und wie beneidete ich Klein-Sonja darum, wenn Mutter sie liebevoll auf dem Arm hielt.
Wie unterschiedlich die individuellen Blickwinkel auf das Leben sind, erfahre ich auch, wenn ich heute mit meiner Schwester über früher spreche. Zu wenig hat sie das bewusst erlebt, was ich so sehnsüchtig beobachtete: die liebevolle Mutter mit ihrem Kind. Zu wenig haben wir alle drei Geschwister das erlebt und jeder sucht die Erfüllung auf seine Weise.

7
Variationen von Liebe

Muttergefühle, diese tiefe emotionale Verbundenheit mit diesen kleinen Wesen, die nach und nach das Zentrum unserer Gemeinschaft bildeten, schienen mehr und mehr das eigentliche Band zu bilden, das unsere Gruppe zusammenhielt, tiefer und unlösbarer als die unterschiedlichen Liebesbeziehungen, die uns Frauen an Hari banden.
Für mich war es zuerst Auro, Katharinas Sohn, den ich auch als »mein Kind« sah, später dann Patrick, Ruths zweites Kind, geboren 1979, zu einer Zeit, als die Spannungen in unserer Großfamilie schon oft eine erschreckende Intensität erreicht hatten.

All die »niederen Emotionen«, die es, so Hari, zu überwinden galt, wie Machtansprüche, Neid, Missgunst, Eifersucht, Hass und Begehren, brodelten unter der Oberfläche und Hari nutzte sie geschickt, um die Vormachtstellung zu behalten, denn wirklich frei davon war wohl auch er nicht. Dass alles Nachforschen in Vergangenem, das Aufarbeiten von alten Verletzungen, für das ich mich immer stärker interessierte, nur »Schlammwühlerei« sei, nicht wirklich notwendig für die eigene Bewusstwerdung, das konnte nicht stimmen und ich fragte mich manchmal, wo unsere anfängliche Vision von einer besseren Welt geblieben war, die uns doch ursprünglich zusammengeführt hatte. Viel später erst begab sich dann jeder notgedrungen auf seinen ganz individuellen Weg, um sich diesen seinen eigenen Schatten zu stellen.
Sicher mag der Bruch mit der Vergangenheit zu einem bestimmten Zeitpunkt nötig sein, die Trennung von der Familie, von alten

Mustern, doch es bewahrt einen nicht davor, sich mit diesem Schmerz irgendwann auseinanderzusetzen, tief abzusteigen in all die Themen, die man so lange verdrängt hatte, wohl weil man noch nicht die nötige Reife hatte, die Verantwortung für all diese unterschiedlichsten Anteile der eigenen Entwicklung zu übernehmen.

Für uns geschah dieses »Es anders machen wollen« zunächst über den Umweg der Liebe zum Kind, ein Weg, den sicherlich viele andere Eltern auch gehen. All die Liebe, nach der man sich selbst sehnt, versucht man, den eigenen Kindern zu geben. Alle Freiheiten, die einem selbst vorenthalten worden waren, möchte man nun diesen kleinen Wesen geben und vergisst dabei nur allzu schnell, Grenzen aufzuzeigen.
Unsere Welt war damals vorrangig zu einem Abenteuerspielplatz für die Kinder geworden und diese besondere Art des Aufwachsens, innerhalb einer so anderen Großfamilie, wird ihren weiteren Lebensweg prägen.

Nicht umsonst begann ich meine Doktorarbeit dann irgendwann im Bereich der Anthropologischen Pädagogik über das Thema Kindheit. Ich untersuchte französische Autobiographien des 19. Jahrhunderts im Rahmen eines großen Forschungsprojektes über die Reformpädagogik. Doch es war noch nicht mein eigener Weg. Auch diese Arbeit war noch zu sehr bezogen auf die Anerkennung von außen, auf die Erwartung von Hari, dass jemand in der Gemeinschaft den Doktortitel habe, und meinen Eltern könnte ich mit dieser Arbeit zeigen, dass mein Leben in »ordentlichen Bahnen« verläuft. Auch wenn mein Doktorvater noch Jahre später, als ich die Arbeit wieder aufnahm, dahinter stand, mich zum Abschluss der fast fertigen Arbeit ermutigte, so hatte der andere Teil meines Lebens längst die Oberhand gewonnen, die Anforderungen unseres Alltags mit inzwischen zwei großen Anwesen, insgesamt neun Kindern, meine volle Berufstätigkeit, um unser Leben finanzieren zu können und vielem mehr, von dem ich dennoch heute weiß, dass es genau zu meinem Lebensplan gehörte, diese Hingabe zu üben, bis an die Grenzen der eigenen Belastbarkeit zu gehen und damit Dinge abzuschließen, die als uralte Themen mich immer wieder eingeholt hatten. Bewusstsein von diesen Zusammenhängen hatte ich damals noch nicht.

Dass ich meine Lebenssituation irgendwann doch überdenken musste, geschah aus einer extremen Notsituation heraus, da ich mich vor Schuldenbergen sah und eine Lösung finden musste. Das war nach zwanzig Jahren gemeinschaftlichen Lebens und bildete wiederum den Beginn eines neuen Lebensabschnittes. Doch bis zu diesem Schritt war so unendlich viel geschehen, dass es mir heute wie ein anderes Leben erscheint, weit entfernt von meinem jetzigen, und doch sind es gerade mal zehn Jahre, seit ich diesen großen »Verrat« beging und die Gemeinschaft, der ich mich doch auf Lebenszeit verbunden glaubte, verließ.

Mutter, wenn ich hier so bei Dir sitze, Dich sehe, wie Du schwer atmest, angeschlossen an Sauerstoff- und Atemgerät, wie alle Deine körperlichen Funktionen überwacht werden, hier auf der Intensivstation, wenn ich Deinen Körper sehe, durch den nur noch wenig Lebensenergie fließt, dann sehe ich Dein Leben vor mir und weiß, dass ich das gleiche Muster fast zwanzig Jahre lang weitergelebt habe: Arbeiten bis zum Umfallen, die eigenen Grenzen total überschreiten, nicht nachdenken, wofür man sich so abmüht. Und dabei glaubte ich doch, mein Ziel zu kennen, folgte wie von einem unsichtbaren Drang vorwärts gezogen den einmal für mich angenommenen Idealen und sah mich lange außerstande, sie neu zu überdenken, sie auf ihre weitere Gültigkeit hin zu überprüfen.

Genauso wie ich weiterging, meine Liebe sich nur in diesem mich ganz hingebenden Arbeiten zeigen konnte, so weiß auch ich heute, dass hinter Deiner Härte, Deiner Strenge diese Mutterliebe war, die

Du nicht anders zeigen konntest, nicht durch ausgesprochene Anerkennung, nicht durch körperliche Nähe, sondern einfach dadurch, dass Du versuchtest zu geben. Ich sehe Dich vor mir, wie Du in den letzten Jahren, bevor wir wieder zurückfuhren in unser neues Zuhause, nun endgültig ein eigenes Heim, in der Speisekammer vor dem Gefrierschrank standest, mir Teil für Teil reichtest mit der Frage: »Was steht da?« Du konntest ja nicht mehr lesen, was Du selbst mühsam in Großbuchstaben auf die Zettelchen geschrieben hattest. »Wie heißt das?« Und wenn ich es Dir vorgelesen hatte, sagtest Du: »Nimm das mit.« Oder: »Brauchst Du das?« Und ich packte Teil um Teil der vorgekochten Speisen oder eingefrorenen Beeren ein in die bereitstehende Gefriertasche. Als habest Du, die inzwischen fast vollständig erblindet war, ganz zufällig noch etwas gefunden in der Tiefkühltruhe und nicht immer wieder frische Himbeeren, fertig gekochten Rotkohl, Frikadellen und vieles mehr sorgfältig beschriftet und eingefroren, damit wir zu Hause nahezu fertige Mahlzeiten hatten.
Das war auch Deine Art, meinem Leben Achtung entgegenzubringen, und zwar meinem beruflichen Leben, denn es war Dir bewusst, dass mein schulischer Alltag sehr Kräfte zehrend war und es war nicht nur eine Erleichterung des Alltags, sondern auch für Urs stets eine Freude, gelegentlich etwas »von Oma« aus dem Kühlfach holen zu können. Noch nach Deinem Tod hatten wir eine Zeit lang von Dir beschriftete Päckchen im Tiefkühlfach und da gewannen diese Leckereien eine ganz besondere Bedeutung.

Ich hatte mich in den letzten Jahren daran gewöhnt, Dir ab und zu aus meinem schulischen Alltag zu erzählen und mich stets gefreut über Dein Interesse. Das hatte ich allzu lange vermisst bei Dir: Interesse für oder gar Achtung vor meinem Leben. Heute weiß ich auch da, dass es all die Undurchsichtigkeit meines Lebensweges war, die Dich misstrauisch bleiben ließ. So lange ich innerhalb der Gemeinschaft lebte, blieb ein Teil von mir unerreichbar für Dich, für meine eigene Entwicklung sicherlich eine Vorraussetzung, um allmählich mein Leben selbst in die Hand zu nehmen.

Und doch hattest Du die berufliche Seite stets aufmerksam verfolgt und Du wusstest, dass das ein Bereich war, der bei allem Chaos im privaten Bereich meinem Leben eine Stabilität verlieh, die mir sicher irgendwann von Nutzen sein würde. Dabei ist mir bewusst, dass es auch die Seite war, die Du brauchtest, um auf Nachfragen eine Antwort zu haben. Für Dich war es der wichtigere Teil in meinem Leben, für mich viele Jahre lang eher eine Tarnung, um ein so ganz anderes Leben führen zu können, ein Leben, von dem ich lange Zeit dachte, es sei der wesentliche Teil, diese Berufung, einen »ganz besonderen« Weg zu gehen.

Während ich hier die letzten Tage oder gar Stunden Deines Lebens mit Dir verbringe, läuft all das in mir ab wie ein langer Film und die Zeit, die wir noch miteinander haben, erscheint mir so endlos. Ich kann mich all den Erinnerungen hingeben, Dich unausgesprochen daran teilhaben lassen und ich bin froh, dass Du noch die Zeit erleben durftest, in der ich selbst allmählich auftauchte aus all den Verstrickungen, mein Leben selbst in die Hand nahm, anstatt mich vor gravierenden Entscheidungen zu scheuen.

Innerlich sehr aufwühlend erscheint mir die Zeit, als ich die Universität gewechselt hatte, mein Studium mit der ersten Staatsprüfung abschloss, schon bald mein Referendariat begann, dazwischen unterschiedliche Jobs annahm, um die Ferienzeiten aus- bzw. unser Gemeinschaftsbudget aufzufüllen, denn es war die Zeit, als wir schon sparten für ein größeres Objekt, ein »Anwesen«, wie Hari es immer nannte: Wir wollten einen Bauernhof erwerben, um dort autark zu leben.
Schwierig war die Zeit deshalb für mich, weil ich mich in einer Art Zwischenzustand befand, noch nicht so recht meine Zukunft erkannte, ein Zustand, den ich inzwischen als ganz normale Zwischenstufe kenne, auf dem Weg von einem Lebensabschnitt

in den nächsten, wenn Altes abgeschlossen wird und das Neue noch nicht ganz sichtbar ist.

Nur geschah meine Entwicklung damals noch recht unbewusst. Zu sehr machte ich meine Entscheidungen bzw. mich selbst von anderen abhängig. Außerdem beschäftigte mich die Trennung von meinen Eltern bzw. von der Welt, in der ich aufgewachsen war, sehr, machte mich traurig, obwohl das Neue mich mehr und mehr einhüllte. Ganz besonders entscheidend war, dass in dieser Zeit die Liebe zu Hari für mich zum zentralen Punkt meines Lebens wurde, der mich bestärkte, die eingeschlagene Richtung weiterzugehen. Das war die lichte Seite meines damaligen Lebens.

Der Konflikt zwischen diesen beiden Welten, die Unmöglichkeit, sie zu verbinden, trieb mich damals – ich war Anfang zwanzig – in gefährliche Situationen, aus denen ich wie durch ein Wunder unbeschadet herauskam. So zum Beispiel der Autounfall mit Vaters neuem Auto, bei dem ich mitten in der Nacht bei der Abfahrt zu einer Autobahnraststätte die Schilder rammte, mich überschlug und völlig unverletzt aus dem Fenster des total zertrümmerten Autos krabbelte, während die Angestellten der Tankstelle herbeiliefen und es nicht fassen konnten, dass mir nichts passiert war.
Es war die Zeit, als wir gemeinsam zu einem Festival nach Essen fahren wollten, das einzige Guru-Festival, an dem wir alle teilnahmen und ich den Vorschlag machte, ich könnte Vater um sein Auto bitten. Vielleicht hatte auch Hari die Idee gehabt. Jedenfalls war ich froh, etwas tun, der Gemeinschaft etwas bieten zu können. Ich hatte meine Eltern lange nicht mehr gesehen und ich denke, es war für sie eine Möglichkeit, mich auch nach Hause zu locken, denn Vater sagte sofort zu. Wir hatten uns verabredet an der Raststätte Wetterau, da er mit dem Bus aus Hamburg kam. Noch heute weiß ich, wie sehr wir beide uns über das Wiedersehen freuten.

Etwas schwieriger war es bei Mutter, da sie gleich meine etwas ärmliche Kleidung bemerkte – wir hatten damals kaum eigene Kleidung, teilten uns das Wenige, was wir hatten – und außerdem auch fand, dass ich viel zu dünn sei. Ich hatte mir fest vorgenommen, gleich am späten Abend wieder zurückzufahren, vor allem, weil ich Hari überraschen wollte, schon sein Gesicht vor mir sah, wenn ich zu später Stunde mit dem Auto ankäme. Ich freute mich darauf, in mein so ganz neues Leben zurückzukehren und längst war ich in Hari verliebt.

Ich hatte meinen Eltern bereits gesagt, dass ich gleich zurückfahren würde, doch sie wollten mich gerne umstimmen. Mutter versuchte, mit mir zu reden, machte mir heftigste Vorwürfe, weil ich nicht mehr nach Hause käme. Es war eine extrem angespannte Situation. Ich wollte nur schnellstens weg. Aber einen Kaffee solle ich doch wenigstens trinken, gegen die Müdigkeit. Doch das war für mich damals völlig unmöglich. Kaffee, das war für uns absolut verpönt, Gift für den Körper, und ich hätte diese Regel keinesfalls gebrochen.
Und so kam es, dass ich losfuhr mit dem einzigen Gedanken, zu Hari zu kommen, in mein Leben, weg von den Vorwürfen. Ich hielt nicht an, als ich ab und zu für einen Moment einschlief. Das Letzte, woran ich mich dann vor dem Riesenaufprall erinnerte, war mein Gedanke, bei der nächsten Raststätte muss ich mal kurz anhalten.
Jahrelang konnte ich diese Stelle nicht passieren ohne dieses ungute Gefühl der absoluten Verzweiflung, das mich danach überkommen hatte, als die Polizei mich mitnahm zur nächsten Stadt, wo ich dann am Bahnhof saß und früh morgens Vater anrief.
Ich weinte am Telefon und alles was er sagte, war »Ist Dir nichts passiert?« Ich verneinte und er beruhigte mich, sagte, er werde sich um alles kümmern. Das tat er dann, zusammen mit meinem Bruder, doch ich kam daraufhin lange gar nicht mehr nach Hause, war voller Schuldgefühle, obwohl Vater mir das Auto

betreffend niemals Vorwürfe machte. Dabei erfuhr ich, dass er von der Versicherung nichts bekommen hatte und dass die Anschaffung dieses neuen Autos nur durch eine kleine Erbschaft möglich gewesen war.

Ja und Du, Mutter, Deine Rolle dabei kann ich erst jetzt so richtig wertschätzen. Damals fühlte ich mich völlig unsicher Dir gegenüber, zog es vor, Dir lieber gar nicht mehr unter die Augen zu treten, fürchtete Deinen vorwurfsvollen Blick. Als ich Dir vor einigen Jahren, als mein Leben wieder eine entscheidende Wende mit dem Verlassen der Gemeinschaft nahm, das Geld zurückgeben wollte für das Auto damals, Deine verloren gegangene Erbschaft, da sagtest Du mir, dass das alles erledigt sei. Du hattest genau Buch geführt über all die Zuwendungen, die Eure Kinder von Euch bekamen und es gab keine Schuldzuweisungen oder sonstige Aufrechnungen von Altlasten. Ob das zugesteckte Geld für einen Hauskauf, für eine neue Wohnungseinrichtung oder eben für ein zu Schrott gefahrenes Auto war, das war sich nun gleich. Eine Riesenlast fiel von mir, denn diese Geldschuld war sinnbildlich für so vieles, was mir Euch gegenüber Schuldgefühle gemacht hatte und da sah ich eine Seite an Dir, die ich nie so richtig wertgeschätzt hatte: Deine Fähigkeit des Wirtschaftens und Dein Gespür für Gerechtigkeit. Du warst diejenige, die das Geld verwaltete in unserer Familie, die sich um Bankgeschäfte, Versicherungen, sämtlichen anfallenden Schriftkram kümmerte und der es nie eingefallen wäre, diese Angelegenheiten mit verletzten Gefühlen zu vermischen.

Wir kannten es gar nicht anders, als dass Du das von Vater verdiente Geld verwaltetest, selbst noch etwas hinzuverdientest durch den Verkauf von eigenem Obst und Gemüse, früher auf dem städtischen Markt, später dann im Straßenverkauf vor dem Haus.

Auch jetzt, da Dein Leben zu Ende geht, ist es, als habest Du die Jahre nach Vaters Tod noch genutzt, um alles in Ordnung zu brin-

gen, Deine Kinder versorgt zu wissen, finanzielle Angelegenheiten zu regeln, sogar nach Berlin bist Du noch mal gereist und nun bietest Du mir die Möglichkeit, hier bei Dir zu sitzen, über all das nachzudenken. Irgendwie bin ich zurückgekehrt zu meinen Wurzeln, indem ich die letzten Stunden Deines Lebens mit Dir teile, Dir in Gedanken all das erzähle, was nie ausgesprochen wurde zwischen uns, denn nie hast Du gefragt: »Wie geht es Dir?«

Und wie ging es mir in meiner neu gefundenen Familie? Ich selbst hätte gar keine Antwort darauf gewusst. Es war mein neues Leben, meine Ersatzfamilie. Dass man seine alten Muster mitnimmt, auch wenn sich die äußerlichen Strukturen verändern, das wurde mir erst viel später bewusst. Äußerlich ließ ich mein altes Leben hinter mir, fühlte mich mehr und mehr zugehörig zu dieser Gemeinschaft und hielt nur wenig Kontakt zu meiner Ursprungsfamilie, eine Tatsache, die eine schlimme Erfahrung für meine kleine Schwester war, die zu Hause die Tränen und Vorwürfe, die Bitterkeit und Krankheiten unserer Mutter miterlebte.

Diese Zeit liegt für mich zum Teil wie in einem dichten Nebel, denn ich kannte den Weg noch nicht wirklich, wurde irgendwie mehr und mehr hineingezogen in dieses so andere Leben und, ohne dass jemals eine eindeutige Entscheidung meinerseits gefallen wäre, war es für mich irgendwann klar, dass ich gar nicht mehr anders leben wollte. Auch ich wollte ein Kind von Hari, sah ihn als meinen Mann an und akzeptierte es, dass ich nur eine seiner Frauen war. Dass es eine recht ungewöhnliche Lebensweise war, verstärkte dieses wohltuende Gefühl des Andersseins, so als lebten wir etwas ganz Besonderes – abseits der in ihren alten Maßstäben verharrenden Welt. Es war ein Experiment und es gab andere Versuche von neuen Lebensformen in dieser Zeit, für diese Generation. Ich hatte meinen Platz gefunden, brauchte mich nicht mehr auseinanderzusetzen mit all den anderen Mög-

lichkeiten. Ich fühlte mich geschützt und hatte längst begonnen, Hari auch als Mann zu lieben.
Irgendwann würde ich ganz dazu stehen müssen, nämlich dann, wenn ich ein Kind von ihm erwarten würde. Das wusste ich und bei aller Sehnsucht nach diesem Kind blieb da auch die Sorge, wie meine Eltern darauf reagieren würden. Dabei sah ich immer Mutter vor mir, vor Vater hatte ich nicht diese Angst, eher Mitgefühl mit seinem Unverständnis. Doch die Freude über meine erste Schwangerschaft wog die Zweifel auf, allerdings zunächst noch nicht ganz.

26 Jahre alt war ich, als ich die Veränderungen in meinem Körper spürte, sich etwas ganz Neues in mir tat, ein angenehmes Gefühl der Veränderung, völlig ohne unangenehme Begleiterscheinungen. Ich fühlte mich stark, gesund, der Aufgabe, mein erstes Kind zu bekommen, gewachsen. Doch ich fühlte mich in keinster Weise gewachsen, meiner Mutter gegenüberzutreten. So war für mich klar, dass ich die Schwangerschaft, so lange es ging, geheim halten würde. Ohnehin war ich selten bei meinen Eltern zu Besuch, galt wohl schon eine Weile als die »verlorene Tochter«.

Wir waren inzwischen aufs Land gezogen, in ein altes Bauernhaus, mitten im Dorf, mit großem Garten und ehemaligen Stallungen, die wir nach und nach ausbauten. Wir gingen unseren unterschiedlichen Beschäftigungen nach und arbeiteten in jeder freien Minute an diesem unseren Anwesen bzw. waren mit den Kindern unterwegs, inzwischen fünf: drei von Katharina, zwei von Ruth geboren, sie, die heute Mutter von zwölf Kindern ist. Ich selbst arbeitete damals schon als Lehrerin am Abendgymnasium, war somit tagsüber zu Hause und, wenn ich am Spätnachmittag zur Arbeit fuhr, mehr als 50 km einfache Fahrt, lag der härteste Teil des Tages bereits hinter mir. Die Schule, das Unterrichten der etwa gleichaltrigen Erwachsenen gefiel mir, war mein Teilnehmen an der Außenwelt.

Außerdem bot mir die Stelle auch die Möglichkeit, Hari zu treffen, er, der immer unterwegs war, der nie mehr einer geregelten Arbeit nachging. Das hatten die Frauen übernommen. Die Sorge für die Kinder, das war unser Zusammenhalt, unsere Solidarität. Doch daneben gab es die Konkurrenz, das Buhlen um die Gunst und Zuwendung des Mannes, die uns entzweite und die Hari geschickt zu nutzen wusste.
Unsere Gemeinschaft hatte sich damals reduziert auf einen festen Kern von fünf Frauen, ihren Kindern und Hari. Eine Zeit lang gehörte noch Gerhard zu unserer Gruppe, unser »Gärtner«, ein liebevoller Kamerad für die Kinder.
Kinder, das war das zentrale Thema in unserer Gemeinschaft. Sie sollten anders aufwachsen dürfen, freier, ohne all die in sie gesetzten Erwartungen, unter der wir Erwachsenen so sehr gelitten hatten; aufwachsen gemäß ihrem Wesen, entsprechend ihren ganz eigenen Anlagen. Eine wunderbare Welt, die all dem entsprach, was ich gelesen hatte, bei Jean Jacques Rousseau, in Schriften der Reformpädagogik, bei Rudolf Steiner. Ich wollte mich dieser Art der Pädagogik widmen, machte die Ausbildung als Waldorflehrerin neben meinem regulären Studienabschluss und wünschte mir vor allem sehnlichst ein eigenes Kind ...

Da gab es diesen Tag, wo ich mich sehr unwohl fühlte, leichte Blutungen bekommen hatte und dennoch zur Arbeit ging. Erst als ich die Schmerzen nicht mehr aushielt, ließ ich mich freistellen vom Unterricht und begab mich ins nahe gelegene Hospital. Noch heute erinnere ich mich an diesen langen Weg über die Brücke ans andere Ufer, wo sich die Klinik befand, innerlich darum betend, dass dem Kind, das in mir heranwuchs, nichts passierte und der tiefen Einsamkeit, die sich in mir ausbreitete, denn ich spürte, das dieses neu entstehende Leben sich bereits

wieder verabschiedet hatte. Noch in der Nacht im Krankenhaus spürte ich, wie alles ausblutete in mir. Da war kein Kind mehr, als am nächsten Morgen die Ausschabung gemacht wurde. Die Schmerzen am Abend waren so furchtbar gewesen, bevor ich lindernde Mittel bekommen hatte, doch viel größer war diese innere Verlassenheit, in die ich stürzte. Ich fühlte mich so wertlos, war überzeugt, mit meinen eigenen Ängsten dieses Kind abgetrieben zu haben.
Wie gerne hätte ich damals Eltern gehabt, denen man so etwas erzählen kann, die einen trösten, doch ich war so weit weg von meiner Familie, hatte keinen Kontakt zu Bruder und Schwester. Die einzige Mutter, die da war, die auch kam am nächsten Tag und mich tröstete, das war Katharina, noch immer Haris Frau, obwohl Ruth ihr mehr und mehr den Rang als »erste Frau«, als Hauptgeliebte Haris streitig machte. Sie war es, die ständig mit ihm unterwegs war, die keinesfalls sich einfügen würde in unsere ursprünglichen Vorstellungen einer gleichwertigen Gemeinschaft. Vielleicht war sie auch einfach zu der Zeit die einzige von uns, die egoistisch genug war, einen Mann an ihrer Seite haben zu wollen, während wir uns mit dem Gedanken, eine von mehreren zu sein, abgefunden hatten bzw. es als Teil unserer Lebensphilosophie verstanden.

Katharina fühlte sich vor allem durch ihre drei kleinen Kinder an die Gemeinschaft gebunden, begann jedoch bereits, sich mehr und mehr innerlich von Hari zu lösen. Bei der Geburt ihres vierten Kindes, zwei Monate später, war ich dabei und es war wie ein Versprechen, als sie mir sagte, sie würde in jedem Fall bei der Geburt meines ersten Kindes dabei sein. Sie hat das Versprechen gehalten. Doch es geschah noch viel bis zu diesem Zeitpunkt und es schien, als habe sie nur dieses Ereignis noch abgewartet, um dann endgültig in einer Nacht-und-Nebel-Aktion unsere Großfamilie zu verlassen.
Damals wussten wir nicht, ob wir uns jemals wieder begegnen würden. Zu sehr war ich noch Teil des Systems, das sie über viel

Arbeit an sich selbst hinter sich lassen wollte. Sie kehrte zurück in die »normale« Welt zu einer Zeit, als ich durch die Geburt meines Sohnes erst mal noch viel tiefer einstieg in unser Gemeinschaftsleben, mich nun wirklich dort zu Hause fühlte, denn es war der Ort, wo mein Kind aufwachsen würde.

Du, Mutter, warst 54 Jahre alt, als ich dann wieder schwanger war. Nur zweimal besuchte ich Euch in dieser Zeit. Beim ersten Mal wusstest Du noch nichts davon. Ich hatte zu Beginn der Schwangerschaft abgenommen. Wir gingen zum Einkaufen und ich weiß noch, wie Du mir später aufs heftigste Vorwürfe gemacht hast, dass ich Dich so hintergehen konnte, mir einen Wintermantel aussuchte mit weitem Schnitt, den Du mir nichts ahnend kauftest. Ich selbst weiß noch, wie stolz ich damals war auf meine gute Figur und dennoch für mich ausrechnete, ab wann ich dann nicht mehr nach Hause kommen könnte; vorerst, denn für mich war klar, dass ihr niemals das Kind ablehnen würdet, wenn es dann geboren sein würde; eine Gewissheit, die mich heute manchmal erstaunt und mir auch Eure Liebe beweist. Auch Ihr habt eine Entwicklung mitgemacht, widerwillig zwar, gezwungenermaßen, doch niemals habt Ihr in all den Zeiten Euch als Eltern vollständig distanziert von Eurer »missratenen« Tochter. Für mich war das selbstverständlich, doch inzwischen kenne ich andere Schicksale und bin Dir dankbar dafür, mir den Weg nach Hause immer offen gehalten zu haben. Wie Du dann von meiner Schwangerschaft erfahren hast, weiß ich bis heute nicht. Es gab damals Verbindungen zwischen unseren Eltern, Kanäle, die Dir stets unangenehm waren. Du wolltest im Grunde nicht, dass Fremde sich einmischten in unser Familienleben.

Auch das erkenne ich als ein Muster, das mich noch lange prägte: die Abschottung von der Außenwelt, das abgeriegelte Leben, so wie ich aufgewachsen war, die Familie, das Dorf, die Kirche. Nur war es eben für mich nun eine neue, selbst gewählte Gemeinschaft, die zu meinem Nest geworden war, doch auch wir lebten auf unsere Art abgeriegelt von der Außenwelt, misstrauisch gegenüber Fremden. Im Grunde sind wir beide uns auch darin sehr ähnlich: dieses Bedürfnis nach Neuem, nach Fremdem, nach Kontakten zu anderen Menschen und dem gegenüber eine Lebensweise, die genau das verhindert, für Dich in Deinem dörflichen Umfeld, für mich innerhalb einer sich abgrenzenden Gemeinschaft.

Auch Du bist irgendwann »zu neuen Ufern aufgebrochen«, indem Du bei Vaters Reisen die Reiseleitung übernahmst. Das war zu einer Zeit, als ich wenig Kontakt hatte zu Deinem Leben. Doch wirklich ausbrechen aus Deinem bisherigen Leben, das konntest Du nicht mehr, und im Grunde gehörte es auch nicht zu Deinem Lebensplan. Ich denke, das ist dann unsere Aufgabe, der Weg der nächsten Generation.

Du hattest mich dann angerufen, mich gefragt, ob das wahr sei mit der Schwangerschaft und ich hatte es bestätigt, Dir auch gesagt, dass ich froh darüber sei.

Als ich dann zum zweiten Mal bei Euch zu Besuch war, war mein wachsender Bauch nicht mehr zu übersehen. Du machtest mir heftigste Vorwürfe, vor allem deshalb, weil ich nicht versuchte, meinen »Zustand« zu verbergen. Schließlich hatte ich ja den weiten, dunkelgrünen Lodenmantel, den Du mir gekauft hattest. Schamlos sei ich, wie ich mich der Verwandtschaft zeige und ich weiß nur, dass ich meine Hände auf den Bauch legte und mir innerlich immer wieder sagte: Ich muss mein Kind vor meiner Mutter schützen. Ich will dieses Kind nicht verlieren. Ich werde es schützen vor ihr und wenn es sein muss, nie mehr nach Hause kommen. Ich bin nicht mehr nach Hause gekommen während der Schwangerschaft, Mutter, und es war gut so. Du selbst musstest Dich nicht mehr schämen für Deine ungeratene Tochter, zumindest musstest Du nicht erleben, wie sehr ich mich freute auf das Kind.

Dass es dennoch eine sehr schwere Zeit war für Dich, das weiß ich. Das weiß vor allem Sonja, die ja selbst ihren Weg ins Leben finden musste und kaum Unterstützung fand bei ihren Eltern. Natürlich wissen wir heute, dass wir Unterstützung hatten von Euch, doch emotional konntet Ihr uns damals wenig geben; Ihr hattet das nie gelernt, es selbst nie bekommen von Euren eigenen Eltern.

Es gab noch ein Erlebnis aus dieser Zeit, eine Konfrontation zwischen uns, die sich mir tief eingeprägt hat. Es war die Zeit zwischen der Fehlgeburt und der neuen Schwangerschaft, eine Zeit, in der Du keinerlei Zugang zu mir finden konntest, mir immer wieder Fragen stelltest, die aber keine wirklichen Fragen waren, sondern nur Vorwürfe. Ich rettete mich in missionarische Predigten über eine gesunde Lebensweise, dass Ihr Eure Ernährung ändern solltet, auf Eure Körper achten müsst; Dinge, die einen wichtigen Teil in meinem Leben ausmachten und von dem ich glaubte, ich könnte Euch etwas weitergeben davon.
Doch Dir stand der Sinn nach etwas anderem. Du wolltest wissen, was mit mir los sei und du stöbertest in meinen Sachen, ein solcher Vertrauensbruch, dass ich völlig am Boden zerstört war. Du hattest in meinem Tagebuch gelesen, hattest von der Fehlgeburt erfahren und, was für Dich sicher am allerschlimmsten war, Du wusstest nun, wie sehr ich mir ein Kind von Hari wünschte, dass all meine Sehnsucht dahinging. Du warst völlig außer Dir, schriest mich an, völlig unfähig, in irgendeiner Weise mit mir in Kontakt zu treten: »Ja, bist Du denn ganz verrückt?« Das war es. Ich war verrückt, weit weg von meinem ursprünglichen Leben, weit weg von Eurer Lebensweise, doch heute wissen wir beide, dass ich nie weg war von dem, was mich als Deine Tochter mit Dir verband, weit hinausgehend über Glaubensvorstellungen und dem angelernten Schwarz-Weiß-Denken. Natürlich warst Du von dem Augenblick an auch irgendwie gefasst gewesen auf den Moment, da ich wieder schwanger sein würde.

Der emotionale Bruch mit meiner Herkunftsfamilie war so tief, damals Ende der Siebziger, Anfang der Achtzigerjahre, ich war

durch eine extrem dunkle Phase meines Lebens gegangen, und doch war es nur der Übergang in etwas ganz Neues, mein eigenes Leben, das mir mehr und mehr zur wahren Heimat wurde.
Es gab einen Ort, an dem ich mich wohl fühlte, einen Beruf, den ich gerne ausübte, einen Mann, den ich liebte, Kinder, die mich brauchten. Natürlich musste ich mir viele Jahre später selbst die Frage stellen, ob ich es mir nicht wert war, einen Mann »nur für mich« zu haben. Doch wir wollten uns ja von dem alten Besitzdenken in der Liebe lösen, und unsere Lebensweise schien mir ein gutes Übungsfeld.
Doch so einfach war das nicht. Mehr und mehr gab es all die Heimlichkeiten, wenn es um die Beziehung zu Hari ging. So war dies auch die Zeit, in der ich ein Zimmer in der nahen Großstadt gemietet hatte, eine Möglichkeit, mich mit Hari zu treffen und ich sah es als unseren geheimen Ort an, wobei Hari schon bald diese Möglichkeit nutzte, um ab und zu »abzutauchen« aus einem recht anstrengenden Leben mit konkurrierenden Frauen und vielen kleinen, sehr frei aufwachsenden Kindern.

Es war aber auch die Zeit, in der ich gar nicht mehr daran dachte, jemals aus diesem Gemeinschaftsleben auszubrechen bzw. jemals anders zu leben. Ich machte mir nicht wirklich Gedanken über das »Später« und sicherlich unterschieden wir uns in dieser Haltung gar nicht allzu sehr von anderen Menschen unseren Alters, die irgendwann glauben, ihren Platz im Leben gefunden zu haben und dann doch merken, dass es nur ein weiterer Abschnitt auf ihrem Lebensweg war.

Wie für viele andere Frauen begann für mich ein völlig neuer Lebensabschnitt mit meinem eigenen Muttersein. Ich hatte mich bereits darin geübt, liebte es, solch kleine Wesen zu versorgen, doch ich ahnte nicht, welch entscheidende Wende das Leben nimmt, wenn man selbst neues Leben gebiert. Zum ersten Mal in diesem Leben bekam ich einen treuen Begleiter an meine Seite, einen Begleiter, der auch irgendwann seinen eigenen Weg einschlagen würde. Doch bis dahin war es noch so weit, ein langer Weg, den wir ab jetzt erst mal gemeinsam gehen würden.

8
Muttersein

Natürlich freute ich mich auch auf dieses Kind, weil es als Auszeichnung galt, ein Kind von Hari zu bekommen. Dies mag in meinen manchmal recht verworrenen Gedankengängen mitgespielt haben, doch in mir ging etwas vor sich, was so wunderbar war und alles aufwog, was sich danach an Streitereien und Krisen in unserer Gemeinschaft mehr und mehr ausbreitete.
Ich lebte in dieser Zeit viel mehr nach innen, als ich es jemals während unserer stundenlangen Meditationen geschafft hatte. Ich lauschte nach innen, schon deshalb, weil ich jede Regung wahrnehmen wollte, aufpassen musste, dass dieses Mal mein Kind bei mir blieb. Neues Leben wuchs in mir, spürbar in allem, was ich tat, ich war in eine wunderbar neue Erfahrung eingetaucht.

Zwei Jahrzehnte später, als mein Sohn mehr wissen wollte über meine Beziehung zu Hari, über die Liebe zwischen seinen Eltern, die ihn hierher gebracht hatte ins irdische Leben, da konnte ich ihm antworten, dass es Liebe war, die mich mit seinem Vater verbunden hatte. Ich sehe und fühle es so, wenn ich daran denke, an die Zeit der ersten und auch der zweiten Schwangerschaft. Ich fragte damals nicht, wie das gehen soll, einen Mann zu lieben, der genauso von anderen Frauen geliebt wird; von einem Mann schwanger zu sein und mit Frauen zusammen zu leben, die gleichzeitig von ihm schwanger sind. Aber natürlich stellte mein Sohn mir irgendwann diese Fragen, denn er wollte sich dem Unverständnis anderer stellen, wenn sie erfuhren, dass er nahezu gleichaltrige Halbgeschwister hat. Für ihn war das in Ordnung, er war immer stolz auf seine große Familie, und er wollte auch vor anderen ganzherzig dazu stehen. Nur seinen Vater selbst, den konnte er nicht mehr fragen, denn Hari war unerwartet schnell gestorben, als Urs 17 Jahre alt war. Seit mehr als vier Jahren lebten wir da schon unser eigenes Leben, erstmals weg von der Gemeinschaft.

Sicherlich übte ich mich damals auch im Loslassen in Liebe, doch wie mir die letzten Jahre zeigten, reicht das Üben nicht, solange es unbewusst geschieht. Mein wirkliches Gefühl lag in dieser Zeit noch so tief vergraben unter all meinen Ängsten, angelernten Verhaltensweisen, Vorstellungen vom Leben. Ich wusste noch lange nichts davon, was es heißt, wirklich zu lieben, das heißt, erst mal sich selbst zu lieben und dann andere.
Wie viele andere Mütter ging ich den Weg über mein Kind: Indem ich es selbst über alles liebte, bekam ich auch allmählich Bezug zu meinem inneren Kind, das ich so verkörpert im Außen erlebte.
Wie weit man damit wirklich kommt, erfährt man wohl erst, wenn die eigenen Töchter und Söhne ihrer Wege gehen. Die Frage, wo man selbst bleibt, wenn die, die man liebt, neue Wege einschlagen, stellt sich dem Menschen immer wieder, zu allen Zeiten.

Ich konnte damals, im Alter von 28 Jahren, noch nicht umgehen mit meiner Sehnsucht nach Liebe, erlebte auch Momente abgrundtiefer Verzweiflung, wenn ich Hari nicht dort traf, wo wir uns verabredet hatten. Warten nahm viel Raum ein in dieser Liebe, die natürlich auch eine starke Abhängigkeit beinhaltete. Mir war gar nicht bewusst, wie sehr meine absolute Verlässlichkeit missbraucht und mit Füßen getreten wurde. Auf Hari konnte man sich nicht verlassen. Er spielte mit uns, und natürlich brauchte er uns genauso wie wir ihn.

Indem ich mich mehr und mehr auf dieses heranwachsende neue Leben konzentrierte, wurde mir auch mein eigener Körper ver-

trauter. Heute bin ich überrascht, wie wenig ich mich damals mit Urteilen von außen beschäftigt hatte. Ich, die in einer Umgebung aufgewachsen war, in der man ständig der sozialen Kontrolle ausgesetzt ist, wo jeder alles über jeden weiß bzw. wo die Dinge, die nicht passend sind, unter den Teppich gekehrt werden, ich lebte auf dem Land, in einem kleinen Dorf, in einer »Kommune«, die sicherlich mit Argwohn betrachtet wurde, erlebte gemeinsam mit anderen Frauen das Schwangersein und fühlte mich wohl, geschützt vor allen möglichen Anfeindungen und stellte mich schützend vor unsere »ungezogenen« Kinder, wenn es Schwierigkeiten gab. Ich führte eine Art Doppelleben und kam gut damit zurecht. Da war die eine Seite meines Lebens: ein ordentlicher beruflicher Alltag, der Kontakt zu meiner Familie, und da war die andere Seite, mein eigentliches Leben: mein Kind, die Gemeinschaft und das Gefühl, frei sein zu dürfen, alles anders machen zu können, als ich es erlebt hatte, Liebe leben zu dürfen und zwar die unterschiedlichsten Variationen von Liebe.
Was ich noch lange nicht erkannt hatte, das war der hohe Wert der Selbstliebe, einer Fähigkeit, sich selbst anzunehmen im eigenen Sosein, die nichts mit egoistischer Eigenliebe zu tun hat. Noch erwartete ich die Anerkennung, das Angenommenwerden von außen, in erster Linie von Hari.

Auf das Thema Muttersein war ich vorbereitet. Ich wusste, wie wunderbar es ist, wenn sich ein solch kleines Wesen an einen schmiegt, hatte erfahren, wie wohltuend es ist, wenn dieser kleine Mensch einen erstmals erkennt, einen beim Namen nennt. Dass es kein »Mama« und »Papa« gab bei uns erschien mir damals selbstverständlich; das gehörte zu den alten Familienthemen, die wir ja hinter uns lassen wollten. Die Kinder »gehörten« niemandem, sollten frei aufwachsen, wobei wir alle unsere jeweiligen Erfahrungen mit unserer Herkunftsfamilie mit in die Gemeinschaft brachten in der Hoffnung, nun ganz anders leben zu können.

Natürlich hat auch Hari mit dieser Lebensgemeinschaft aus Frauen und den gemeinsamen Kindern seine eigenen, nicht bearbeiteten Themen zu bewältigen versucht, sein sehr zwiespältiges Verhältnis zu einer übermächtigen Mutter, gegen deren Spielchen er sich allzu oft machtlos fühlte und die ich selbst erst später näher kennen lernte. Hari brauchte andere Mütter um sich, Mütter die er beherrschen konnte und Kinder, die so aufwachsen durften, wie es ihm stets verwehrt gewesen war. Doch genauso wie Hari selbst, so brachte jeder, der irgendwann zu der Gemeinschaft gehörte, seine ganz eigene Thematik mit, und jeder würde eine andere Geschichte über diese Zeit schreiben.

Das Gleiche gilt natürlich auch für die Kinder, die in solch einer Gemeinschaft geboren wurden, die unter anderen Umständen aufwuchsen als die meisten Gleichaltrigen. Den Anspruch Haris, dass alle seine Kinder etwas ganz Besonderes seien, »herabgezogen« von einem Bewusstsein, das sich unterscheidet von dem, was in normalen Familien gelebt wird, nahm ich genauso gerne als meinen eigenen an, wie wohl jede Mutter ihr Kind für etwas »ganz Besonderes« hält. Es war dieses Gefühl, zu einer Gemeinschaft besonders auserwählter Menschen zu gehören, das uns lange zusammenhielt und das Leben der Kinder prägte, ihnen später den Weg ins »normale« Leben nicht unbedingt leicht machte. Doch auch sie haben sich diese Bedingungen ausgesucht, um ihren ganz eigenen Lebensplan zu verwirklichen.

Hier an Deinem Sterbebett, wo Du, Mutter, dem Tod so nahe bist, denke ich wieder an das Thema Geburt, diesmal nicht meine eigene Geburt, von der ich mir ja nur etwas vorstellen kann, über Rebirthing-Sitzungen aber auch weiß, wie sehr ich den Kontakt zu meiner Mutter gesucht habe, wie verloren und allein ich mich fühlte in einer mir so völlig unbekannten Welt. Jetzt denke ich vor allem an die Geburt, die ich bei vollem Bewusstsein erlebte und ich weiß zum ersten Mal, dass Geburt und Tod sich tatsächlich so

ähnlich sind, so nah beieinander liegen. Du kämpfst mit diesem Übergang in eine andere Seinsweise, wie eine werdende Mutter darum ringt, ihr Kind in dieses Leben zu gebären, bist manchmal ganz ruhig, dann wieder stöhnst Du wie in Wehen, und alles was ich tun kann, ist, Deine Hand halten, Dich zu streicheln, Dir ab und zu die Lippen befeuchten, denn trinken darfst Du nichts mehr in dieser Phase. Dein Körper könnte es nicht mehr verkraften, Du würdest ersticken, sagt man mir und es ist schwer, der Vernunft zu folgen, wenn Du wie am Verdursten bist.
So wie ich für Dich hoffe und bete, dass der Kampf bald vorbei ist, Du da sein wirst, wo man Dich schon erwartet, wo die körperlichen Schmerzen ein Ende haben werden, Du wieder sehen wirst, ein anderes Licht, in eine andere, Deinem innersten Wesen bekannte Klarheit eintauchen wirst, so hoffte ich damals für mich und dieses neue Leben in mir, dass wir es bald schaffen würden, durch diesen Tunnel durchzukommen, mein Kind das »Licht der Welt« erblicken würde.
Wieso hatte mir nie jemand gesagt, dass die Schmerzen für die Mutter nahezu unerträglich sind beim Gebären? Wieso hatte ich selbst es nicht geahnt, da ich doch schon zweimal, bei Ruth und bei Katharina, direkt dabei war, Beistand geben konnte im Schmerz der anderen?

Vielleicht ist so wie bei mir damals die Gewissheit, irgendwann wird es vorbei sein, auch für Deine Seele klar, dass sie es bald geschafft haben wird, aus dem Grobstoff ichen ins Feinstoffliche zu gelangen. Deine Helfer jedenfalls sind da. Ich weiß es, weil ich sie wahrnehmen kann im Raum als liebevolle Intensität, und der schönste Moment ist der, als ich sogar mit Dir darüber sprechen kann. Keiner stört uns, als Du mich anschaust und sagst: »Vater ist da.« Und dann mit so viel Liebe, die mir die Tränen in die Augen treibt: »Heiner, hilf mir.« Und ich spüre seine Präsenz, merke, dass jetzt andere die Arbeit übernehmen. Du bist zwischen den Welten, informierst mich, als Du sagst: »Großmutter ist auch da. Und Pfarrer Süß. Und Oma.« Ich weiß um ihre Anwesenheit, als stün-

den sie hier im Raum, als stehe die Zeit still: Dein Mann, seine Mutter, Deine Mutter, Pfarrer Süß, für den Du so viel in Deinem Leben getan hast, und der versucht hat, es Dir zu vergelten, indem er mich finanziell unterstützte beim Studium. Sie sind da und Du wirst ruhiger. Alles was uns an Liebe verbindet ist hier in diesem Raum, jetzt in der Nacht, der letzten Nacht Deines hiesigen Erdenlebens, am 29. Oktober 2003.

Katharina war bei mir bei Urs' Geburt. Sie war die Mutter, die mir beistand, die mir half mit ihrer eigenen Erfahrung und all der Zuneigung, die uns bis heute verbindet. Katharina, die selbst fünf Kinder von Hari geboren hatte, die eines dieser Kinder verloren hat und die damals bereits wusste, dass sie die Gemeinschaft bald verlassen würde. Sie war dageblieben, wie sie es mir versprochen hatte und ich hoffte damals noch, dass es einen anderen Weg gäbe, sie dennoch bei uns bliebe. Ich ahnte noch nicht, dass ich es war, die dabei war, ihre Rolle zu übernehmen, nicht als Haris Frau, wie sie es sich einmal sogar gewünscht hatte, aber als Mutter für seine Kinder.

Als Urs da war, nach stundenlangen Wehen, als er am 29. Januar 1982 kurz nach Mittag das Licht dieser Welt erblickte, da begann auch für mich ein ganz neues Leben, vorbereitet in den Monaten der Schwangerschaft, in denen ich dieses Wesen schon so sehr kennen gelernt hatte, dass es wie ein unendlich liebevolles Wiedererkennen war, als er, noch mit der Nabelschnur verbunden, auf meinem Bauch lag, die Brust suchte, anfing zu saugen. Katharina unterstützte uns, indem sie darauf achtete, dass man mir mein Kind eine Weile ließ, dass trotz vieler Umstände, die dennoch nicht ganz so waren, wie ich mir eine »sanfte Geburt« vorgestellt hatte, vieles sehr ruhig und sanft vor sich ging. Mein Kind war da. Dass es ein Junge sein würde, hatte ich schon lange gefühlt. Es war mein Sohn Urs, dessen Name schon lange an der Wand dieser Art Höhlenbehausung stand, die Hari für uns geschaffen hatte.

Der ehemalige Werkraum auf unserem Gehöft war für uns beide als Zuhause bestimmt. Noch Jahrzehnte später erzählte mir Katharina, wie schlimm sie das fand, dass Hari uns solch eine primitive Behausung zumutete, während sie und Ruth im »Haupthaus« viel komfortabler wohnten mit ihren Kindern. Für mich war das in Ordnung so. Ich empfand das als einen passenden Ort des Rückzugs, eine adäquate Höhle für Urs und Ursula, die Bärenmutter mit ihrem Kind.
Viele Jahre später, nach unserem Auszug, war eine Bekannte mit mir in dem kleinen Ort, um sich unser altes Zuhause mal anzusehen. Sie war beeindruckt von dieser liebevoll gestalteten Behausung, unserer »Höhle«, fand diesen Ort, der in der ersten Zeit unseres gemeinsamen Lebens das Zuhause für Urs und mich gebildet hatte, als den Beeindruckendsten am ganzen Gehöft, mit den ganz speziellen Wandmalereien, in Farben, die ich immer als »unsere« Farben angesehen hatte: ein schönes Rostrot, zusammen mit grau und beige. Genau in diesen Farben hatte auch Sonja einen Strampelanzug gestrickt für Urs und ihn mitgebracht, damals ins Krankenhaus, zwei Tage nach der Geburt.

Als mein Kind da war, rief Katharina zu Hause an, um die freudige Nachricht mitzuteilen. Zuvor, in der Nacht, als wir aufgebrochen waren zum Krankenhaus, ich Katharina geweckt hatte, kam auch Hari und ich war überglücklich, dass er mitfahren würde. Doch es kam dann anders und später war ich froh darum. Katharina und ich, wir waren einfach zwei Frauen, die sich gegenseitig beistanden. Sobald Hari irgendwo mit ins Spiel kam, wurde es kompliziert.

Noch vom Entbindungszimmer aus rief ich bei meinen Eltern an und war froh, Sonja am Telefon zu haben, als ich sie über die

Geburt meines Sohnes, ihres Neffen informierte. Ihre Reaktion war verhalten, und ich konnte sie so gut verstehen, denn nun war es an ihr, Mutter die Neuigkeit mitzuteilen, und ich bin sicher, Mutter weinte auch da, wie so oft, wenn es um mein Leben ging. 18 Jahre alt war meine Schwester damals, und wir beide kannten uns wenig, denn vor zehn Jahren war ich bereits ausgezogen aus dem Elternhaus.

Schlimm waren dann die Stunden nach der Geburt. Katharina war nach Hause gefahren, ich kam in mein Zimmer, Urs wurde zunächst zu den anderen Neugeborenen gebracht. Ich war zu schwach, um dagegen zu protestieren. Sicher hätte es mir auch nichts genützt. Doch ich wollte nicht, dass man mir mein Kind, das ich nun endlich im Arm gehalten hatte, so schnell wieder wegnahm. Ich hatte doch dafür gesorgt, dass ich das »Rooming-In« beanspruchen durfte, das damals nur in wenigen Kliniken angeboten wurde. Deswegen hatte ich doch dieses Krankenhaus gewählt. Wieso durfte mein Kind nun nicht bei mir bleiben? Ich fühlte, dass es Urs genauso ging. Er wollte nicht in einem hygienisch reinen, aber einsamen Bettchen liegen. Ich spürte es in meinem Körper, dass er die Wärme der Mutter suchte, in der er herangewachsen war. Ich ahnte, dass es nicht stimmte, als man mir sagte, er schliefe friedlich, erholte sich nun von der so anstrengenden Geburt, so wie auch ich mich erholen sollte.
Ich hatte etwas geschlafen und damit gerechnet, mein Kind stillen zu können, sobald es wach war. Es dauerte endlos, dieses Alleinsein, und ich machte mich auf, mein Kind wenigstens zu sehen. Ich durfte in die Säuglingsstation schauen und sah, wie Neugeborene Fläschchen bekamen, manche weinten. Urs schien tatsächlich ganz friedlich zu schlafen. Mir wurde schwindlig aus Sehnsucht nach meinem Kind, sicherlich auch, weil ich noch so geschwächt war. Man brachte mich zurück zu meinem Bett und in mir war nur die Gewissheit, ich werde meinem Sohn alle

Liebe, alle Zärtlichkeit, alle Zuwendung geben, alle Zeit, Kraft und Fürsorge. Ich werde mich so wenig wie möglich trennen von ihm.

Und irgendwann endlich brachte eine Krankenschwester mir Urs. Ich durfte ihn stillen, doch er schlief gleich ein und ich dachte: Sicher haben sie ihm etwas zu trinken gegeben. Ich war misstrauisch, meinte überall mein Kind schützen zu müssen vor der bösen Außenwelt. Doch zum Glück war ich auch allen anderen Regeln gegenüber kritisch, die das Verhalten der Mutter gegenüber ihrem Kind betrafen. Schon während der Schwangerschaft war mir so manches eigenartig vorgekommen, was man werdenden Müttern erzählte. All die vielen, wie mir schien, oft unnötigen Untersuchungen. Für mich war vieles wie der Versuch der Ablenkung, denn meine Aufmerksamkeit wurde nach innen gezogen und mein Bauch zeigte mir den richtigen Weg. So verließ ich mich auch jetzt auf das, was ich innerlich als richtig fühlte und versuchte, es mit dem in Einklang zu bringen, was an Regeln von außen eingehalten werden musste.

So oft wie möglich nahm ich Urs zu mir ins Bett, anstatt ihn in das bereitstehende Bettchen zu legen. Wieso sollte er nicht ständig bei mir sein? Es sei gefährlich, sagte man mir, man könne das Kind im Schlaf erdrücken. Ich glaubte es nicht, legte Urs aber in sein Bettchen, sobald die Krankenschwester vorbeikam.

Ich, die es längst verlernt hatte, auf ihr eigenes Gefühl zu hören, die damit aufgewachsen war, auf andere zu hören, die dieses Muster auch als Erwachsene weitgehend weiterlebte, ich verließ mich, zumindest was mein Kind betraf, auf mein Gefühl, auf meine innere Stimme.
Alles hatte sich geändert für mich durch dieses Wunder, das in mein Leben getreten war: Dieses vollkommene kleine Wesen, das sich in den folgenden Jahren immer mehr zu einem kleinen tibetischen Mönch zu entwickeln schien, die Innerlichkeit, die

er ausstrahlte, die Art, wie er in die Welt blickte, still, wissend, er wurde mein wertvoller Weggefährte.
Heute, während ich dies schreibe, ist er dabei, seinen eigenen Weg zu finden, und mir wird immer wieder bewusst, wie sehr mein Leben in den vergangenen zwei Jahrzehnten auf meinen Sohn ausgerichtet war, und wie intensiv ich dennoch an meiner eigenen Entwicklung weitergearbeitet habe, schon, um Licht in all die unbewusst getroffenen Entscheidungen zu bringen, um mir selbst klar zu werden über den eigenartigen Weg, den mein Leben genommen hat und der sich dennoch immer klarer als der Weg zu mir selbst herausstellt.

Auch mein Verhältnis zu Hari veränderte sich mit diesem neuen Menschenkind, das unsere Liebe verkörperte. Ich brauchte nicht mehr um seine Liebe zu buhlen, wurde gelassener, selbstbewusster, fühlte mich reifer und hatte auch ein neues Verhältnis zu meinem eigenen Körper bekommen. Oft hatte ich an meinem eigenartigen Lebensweg gezweifelt. Das hatte sich vollkommen geändert, bereits während der Schwangerschaft und nun ganz entscheidend: Alles was geschehen war, war richtig, denn es hatte mir das größte Geschenk meines Lebens gebracht – meinen Sohn.
Noch oft in den folgenden Jahren wurde diese absolute Gewissheit auf eine harte Probe gestellt. Bis dahin, bis zur Ankunft meines Kindes war der Weg richtig, doch wie sah es mit der Zukunft aus? Noch machte ich mir darüber keine Gedanken.

Hari kam am Nachmittag vorbei, um seinen Sohn zu begrüßen, inzwischen das elfte Kind, von denen acht in unserer Gemeinschaft lebten, nun also neun Kinder im Alter zwischen sechs Monaten und sieben Jahren. Neun weitere Halbgeschwister für Urs würden noch folgen, alle geboren von Ruth. Sie, die damals selbst wieder hochschwanger war, war mit Hari gekommen. Es war eine Zeit, in der sie allein durch die wachsende Anzahl ihrer Kinder immer mehr ihre Vormachtstellung behauptete, es jedoch nie schaffen würde, solange Katharina da war, sie, die damals noch die Ehefrau von Hari war mit vier gemeinsamen Kindern und der Bereitschaft zu einem Leben in Hingabe, sie, die keinerlei Machtansprüche hatte und die für uns die »Mutter« war. Doch auch hier sind die Geschichten unserer Lebenswege ganz unterschiedlich, und ich kann wiederum nur meine eigene Version erzählen.

All die Streitigkeiten um Vormachtstellungen schienen mir nun nichts mehr anhaben zu können. Ich würde mein Leben leben, für und mit meinem Kind, würde selbst eigenständiger werden, mich mehr abgrenzen können, wenn noch nicht für mich selbst, dann jedenfalls für meinen Sohn, würde mich nicht mehr reinziehen lassen in all die Machtkämpfe der anderen. Ich fühlte mich voller Kraft, allen Aufgaben gewachsen, und doch war mir noch nicht bewusst, dass ich alle Kraft der Welt brauchen würde in den folgenden Jahren.
Ein ganz wesentlicher Aspekt dieses neuen Lebens war auch, dass meine Eltern ein weiteres Enkelkind bekommen hatten. Heute bin ich erstaunt, wie sicher ich mir war, dass sie Urs akzeptieren würden, ihn, das Kind und damit mich, ihre Tochter, als unverheiratete Mutter. Ich wusste es einfach und ich bin ihnen unendlich dankbar dafür, denn meine Ursprungsfamilie, Oma, Opa, die »Lieblingstante«, das war und blieb ein ganz wichtiger Teil von Urs' Leben. Mit ihm knüpften sich die Bande wieder, die ich mit meinem Bruch nahezu zerrissen hatte.

Ja, Mutter, heute, mit 51 Jahren, kann ich eher ermessen, wie Du die Zeit damals erlebt hast. 54 warst Du, als Urs geboren wurde und schon über Jahre hattest Du Dich davor gefürchtet, dass Du irgendwann mein absonderliches Leben nicht mehr verbergen könntest vor der Verwandtschaft. Auf die Frage nach mir hattest Du wohl lange mit meinem einwandfreien beruflichen Weg antworten können. Von Sonja weiß ich heute, dass Du zu Deinen Geschwistern gingst, fast alle mit ihren eigenen Familien im kleinen Heimatort lebend, um ihnen die Schande der Schwangerschaft Deiner nicht verheirateten Tochter zu »beichten«, unter Tränen, wie Sonja sagt. Und sie hat Dich von Deinen Kindern am meisten in Tränen gesehen, sie, die sich später am meisten sorgte um Dich, voller Hingabe sich um Vater und Dich kümmerte, als Ihr krank wart. Was Du damals erzählt hast, was Du über den Vater dieses Ungeborenen gesagt hast, das weiß ich nicht. Du selbst hattest ihn nur zwei Mal in Deinem Leben gesehen, unter Umständen, die wenig erfreulich waren, und bei der Erinnerung daran tut mir auch im Nachhinein vor allem Sonja leid, Eure Kleine, die sich wenig beachtet fühlte in der Zeit, in der Euch die Große solche Sorgen machte.

Heute wirst Du das mit anderen Augen sehen, und auch ohne Worte haben wir uns ausgesöhnt. Doch damals, als Du bis in die Grundfesten Deiner Auffassung von Religion und Moral erschüttert warst, da hat mich Deine Härte und Unnachgiebigkeit sehr traurig gemacht. Natürlich konntest Du nicht ahnen, welche wunderbare Beziehung zwischen Dir und Urs entstehen würde. Heute wirst Du ihn von jenseitigen Welten aus liebevoll beobachten, da bin ich mir sicher, so wie Ihr das besprochen habt in jener Nacht, als er sich weigerte, Dein Krankenbett zu verlassen, sich häuslich einrichtete auf der Intensivstation, und keiner von uns hatte damals geahnt, dass es die vorletzte Nacht Deines Lebens sein würde. Es war Deine letzte Nacht hier auf dieser Welt, denn in der folgenden Nacht waren dann schon die Toten da, die Nacht, die für mich zu den wertvollsten Stunden im Leben meiner Mutter wurde, für Dich der Moment, da Du zwischen den Welten warst, noch verbunden mit uns, den Lebenden und doch auch schon dort, wo Du erwartet wurdest, in Deinem anderen Zuhause.

9
Nach Hause

Damals war es für die Mütter in unserer Gemeinschaft selbstverständlich, dass sie mit dem Neugeborenen schnellstens wieder nach Hause kamen, und auch ich hatte das zunächst vor. Doch von dem Moment an, als Urs da war, hatte sich alles verändert, und mein Zuhause, das war genau da, wo ich mit ihm sein konnte, zunächst also erst mal das Krankenhaus. Ich legte gar keinen Wert darauf, schnell wieder in unser bewegtes, mit Arbeit angefülltes Leben zurückzukehren. Alles was ich wollte war, dieses kleine Wunder anschauen, jede Bewegung, jede Miene dieses kleinen Wesens aufmerksam verfolgen, alle Zeit der Welt zu haben für all die kleinen Gesten der Liebe, die uns von nun an verband. Ich konnte mich gar nicht satt sehen an diesem winzigen Wesen, das mich doch so uralt vertraut und wissend anblickte. Ich lauschte all den unausgesprochenen Worten, die mir mein Sohn zu erzählen schien, wenn er seine kleine Stirn runzelte und mit den Fingerchen in der Luft spielte.

Meine Eltern kamen am folgenden Tag, zusammen mit Sonja. Sonja war etwas verlegen wie meist in dieser Zeit, denn ich lebte ein ihr völlig fremdes Leben, und doch konnte sie sich wohl nicht einfach dem Urteil unserer Eltern anschließen. Dabei war es für mich die Zeit, in der ich mich oft erinnerte an sie, wie sie damals als Baby bei mir schlafen durfte. Ich war ihr sehr nahe, und dennoch konnten wir uns kaum verständigen, lebten in unterschiedlichen Welten bzw. einfach in ganz unterschiedlichen Entwicklungsphasen.

Damals hielt ich es für selbstverständlich, dass Ihr kamt, um mich mit meinem neugeborenen Kind zu besuchen. Heute weiß ich es ganz anders zu schätzen, denn gerade Du, Mutter, bist sicherlich damals über Dich und Deine Weltsicht hinausgewachsen. Heute sehe ich auch das als ein Zeichen Deiner Liebe, so wie all die vielen Dinge, die Du getan hast für Deine Familie und die wir so oft als selbstverständlich angesehen haben. Was Du nicht konntest, das war, Deine Liebe auszudrücken, nicht unbedingt in Worten, aber in einer Geste vielleicht, einem Lächeln. Das gab es wenig zwischen uns, und auch im Krankenhaus konntest Du Deine Tochter, die gerade selbst Mutter geworden war, nicht umarmen, hast nicht gefragt, wie die Geburt war, etwas, das doch im Grunde eine Selbstverständlichkeit sein sollte zwischen Frauen.

Ich habe es nicht vermisst damals, hatte es nicht erwartet. Ich weiß nicht genau, worüber wir gesprochen haben, war viel zu sehr beschäftigt mit meinem Kind, war stolz auf dieses wunderbare kleine Wesen. Doch an einen Satz erinnere ich mich genau, eine Frage war es, doch es klang eher wie eine Feststellung, eine Forderung, ausgesprochen von Dir, Mutter: »Jetzt kommst Du aber nach Hause«, so als sei all das zwar ein großer Fehler gewesen, den ich aber zumindest durch eine reuevolle Rückkehr zu Euch wieder gut machen könnte.

Es war der Moment, als ich spürte, dass Du mein Leben, meine Entscheidungen, meine Gefühle in keinster Weise achtetest. Für Dich war diese Schwangerschaft, das Kind eines Mannes, den ich nie heiraten würde, ein Fehler, und alles was Du tun konntest, war, mir Hilfe anzubieten in der Form der Heimkehr. Dass ich genau hier angekommen war, in dieser Lebenssituation, weil ich weg wollte von zu Hause, weg von den altbekannten, einengenden Lebensmustern, das interessierte Dich nicht.

Heute glaube ich, dass Dir meine Entscheidung, nicht »nach Hause« zu kommen, dennoch gelegen kam. Wie auch immer mein, nun unser Leben, weiter verlaufen würde, es würde sicher problemloser ablaufen, wenn ich weit weg bliebe.

Eine Rückkehr in all die alten Lebensmuster, die ich doch hinter mir lassen wollte, war für mich völlig undenkbar. Mein Kind sollte ganz anders aufwachsen dürfen, freier, wahrhaftiger, mit Liebe umsorgt. Ich würde diesen Weg, auf dem es zu mir gekommen war, niemals verlassen. Mein Sohn hatte diese Gemeinschaft als seine Familie, in der er aufwachsen wollte, gewählt. Meine »Heimkehr« im Sinne von einer Rückkehr zu den eigenen Wurzeln gestaltete sich dann in den folgenden Jahren ganz anders durch die tiefe Verbindung, die entstand zwischen Urs und meinen Eltern. Fremd blieben ihm lange Cousinen und Cousin, Kinder meines Bruders, die in »geordneten Verhältnissen« aufwuchsen.

Die Verhältnisse in unserem eigentlichen Zuhause, dem gemeinschaftlichen Zusammenleben, die waren damals in keiner Weise geordnet, doch es war mein Zuhause geworden, meine Familie, zu der ich mit Urs zurückkehren würde. Die Vorstellung, mit meinem Kind in die so genannte »Heimat«, zu meiner Ursprungsfamilie zurückzukehren, war völlig unmöglich für mich. Niemals sollte er so aufwachsen müssen, eingeengt von moralischen Zwängen. Später erlebte ich, dass nur ich es war, die diese Enge so unerträglich fand. Mein Sohn hatte stets eine gute Beziehung zu dem kleinen Dorf, in dem seine geliebten Großeltern lebten. Die Muster, aus denen er sich dann ins eigene Erwachsensein herausarbeiten musste, waren auch für ihn natürlich schon angelegt. Seine Eltern, Hari und ich, bildeten lediglich sein Sprungbrett ins Leben. Auch er begann seinen Lebensweg in einer Großfamilie, mit einer Abgrenzung nach außen, die mir selbst erst viel später bewusst wurde. Im Grunde erlebte auch er das von außen Kommende zuweilen als das Fremde, das Andere, das Bedrohliche.

Das Jahr, in dem Urs geboren wurde, brachte auch ganz entscheidende Veränderungen in unserer Gemeinschaft. So wie Katharina schon lange angekündigt hatte, verließ sie uns, zusammen mit ihren vier Kindern. Da Hari dies niemals zugelassen hätte, war es eine regelrechte Flucht, sorgfältig geplant, und doch war mir damals das Ausmaß des Zwangs, unter dem sie als Haris Frau stand, überhaupt nicht bewusst.

Doch das war erst im Mai des Jahres 1982, zu einer Zeit, als Hari sich immer öfter auf dem neu erworbenen Gehöft aufhielt, das seine Mutter gekauft und ihm zur Vermietung überlassen hatte. Schon bald war klar, dass sich unsere Gemeinschaft aufteilen würde. Die Spannungen zwischen den beiden »Hauptfrauen« waren zu stark, als dass ein problemloses weiteres Zusammenleben möglich gewesen wäre. Außerdem gehörten nun zwei weitere Kinder zur Großfamilie, Kinder von »Nebenfrauen«: mein eigener Sohn und Jan, der einzige Sohn von Hannelore, geboren im August 1981, zu einer Zeit, als ich selbst wegen Blutungen im Krankenhaus war und in der Angst lebte, mein Kind zu verlieren.

Wer würde in dem etwa 30 km entfernten weiteren Bauernhaus leben? Katharina oder Ruth, jeweils mit ihren Kindern? Und wo würde Hari wohnen? Die Tatsache, dass er selbst und auch Ruth intensiv mit Renovierungsarbeiten in diesem neu erworbenen Gehöft beschäftigt waren, kam Katharina bei ihren Plänen zugute. Wochenlang packte und sortierte sie die Dinge, die sie mitnehmen wollte, und doch glaubte Hari nicht an ihr Weggehen. Wie so oft war er sich seines Einflusses allzu sehr bewusst, überschätzte sich dabei jedoch, wie dann auch noch mal viele Jahre später, als ich selbst die Gemeinschaft verließ.
Ruths drittes Kind war Ende März geboren, ein weiterer Bruder für Urs, bei dem ich dann auch gelegentlich Ammenfunktion übernahm. Somit waren in knapp acht Monaten drei Jungen zur Welt gekommen, die unterschiedliche Mütter, wohl aber den gleichen Vater haben, Halbbrüder, deren Leben bisher trotz unterschiedlichster Ausrichtungen eng verbunden blieb und die sich wohltuend ehrlich mit ihrer Herkunft auseinandersetzen, gemeinsam mit vielen weiteren Halbgeschwistern.

Erst rückblickend erkenne ich, welch enorme Intensität in dieser Zeit lag, wie sich die unterschiedlichsten Weichen stellten, wie die emotionalen Wellen oft unerträglich hochschlugen. Dass ich von all den Wogen damals nicht überrollt wurde, liegt sicherlich an der enormen Stabilität, die mir mein eigenes Muttersein verlieh.

Ich war so beschäftigt mit diesem neuen Wunder, das in mein Leben getreten war. Bei all den anderen Aufgaben achtete ich darauf, stets genug Zeit zu haben für mein Kind, trug es fast ständig bei mir am Körper im Tragetuch, während beim Spaziergang die anderen Kinder im Bollerwagen saßen. Ich fühlte, dass es in diesen ersten Lebensmonaten kein Zuviel an Zuwendung geben konnte, auch beim Thema des »Abstillens« verließ ich mich später vollkommen auf die Natur, achtete nicht auf all die vielen Ratgeber. Es war die Zeit, in der ich über die Fürsorge für mein Kind mehr Eigenständigkeit entwickelte, auf mein Inneres vertrauen lernte.

Als ich dann nach der regulären Zeit des Mutterschutzes, zusätzlich der Osterferien (Urs hatte den Zeitpunkt seiner Ankunft gut gewählt!) wieder zur Arbeit musste, jeweils am Spätnachmittag aufbrach in Richtung Abendgymnasium, stellte Urs sich schnell auf meinen Lebensrhythmus ein, nahm keine andere Mahlzeit an, schlief vorwiegend, während ich weg war und war dann hellwach, sobald ich in der Nacht nach Hause kam.

Hari hatte später nie einen Hehl daraus gemacht, dass er die Mutterbindung, diese »stärkste aller Bindungen«, nutzen wollte, um die Gemeinschaft, diese eigenartige Großfamilie zusammenzukitten. Natürlich gab es für uns Mütter immer wieder Momente, da wir uns bewusst waren, dass wir nur wegen unserer Kinder in der Gemeinschaft blieben. Ich selbst erlebte eine solche Phase mit erschreckender Intensität, als Urs 5 Jahre alt war, und niemals hätte ich damals die Kraft gehabt, die Zelte hinter mir abzubrechen, Urs von seinen geliebten Geschwistern zu trennen, nur weil ich selbst nicht mehr mit meiner Lebenssituation zurecht kam. Als es dann tatsächlich soweit war, noch mal sieben Jahre später, wir die Gemeinschaft endgültig verließen, da konnte Urs das nachvollziehen, und heute weiß er es zu schätzen, dass ich so lange dageblieben bin. Doch das ist ein Ergebnis unserer vielen stundenlangen Gespräche, die inzwischen zu einem wunderbaren Austausch zwischen zwei Erwachsenen geworden sind. Ein langer Weg war es bis dahin, schwierig manchmal, oft aber auch ein schöner Weg, voller wichtiger Reifeprozesse.

Da gab es im Mai des Jahres 1982 diesen ganz eigenartigen Tag, als Katharina uns endgültig verließ und das Zuhause, in das ich mit Urs nach der Geburt zurückgekehrt war, sich noch mal ganz entscheidend veränderte.
Es war ein Tag, der sich in meinem Bewusstsein als ganz schwarzer Tag eingeprägt hat, ein Tag, wie man ihn wohl eher im Traum erlebt: unklar, vernebelt, ohne klare Konturen, mit dem unangenehmen Gefühl, nie zum richtigen Zeitpunkt am rechten Ort zu sein, nicht da anzukommen, wo man eigentlich hin möchte. Heute denke ich, es hat mit dem Thema der Lebensübergänge zu tun, vor allem, wenn man die Entscheidung nicht bewusst in der Hand hat, sondern – scheinbar – in etwas hineingezogen wird, das sich erst nach und nach entwirrt.
Für mich sah der Tag so aus, dass ich mit Hari und den Kindern zu dem anderen Haus fuhr. Ruth war mit einem ihrer Kinder beim Arzt.
Ursprünglich sollte auch Katharina mit uns zu dem anderen Haus kommen, doch sie schob Hausarbeit vor, blieb allein mit ihren Kindern in unserem »ersten« Haus. Ihr Plan war klar: An diesem Tag wollte sie für immer weggehen, natürlich mit unbekanntem Ziel, denn Hari würde nichts unversucht lassen, um sie zurückzuholen. Irgendwie hatte ich es ja lange schon gewusst, doch als Hari mich unter einem Vorwand nach Obernwald zurückschickte – auch er ahnte natürlich etwas – irrte ich stundenlang auf der

Autobahn umher, nahm stets falsche Abfahrten und kam dann irgendwann ganz erschöpft wieder in unserem »zweiten« Haus an, die Brust schmerzend vor Milch, und mein Kind, das Hari auf dem Arm trug, freute sich endlich über Nahrung.
Es sollte so sein, dass Katharina mit ihren Kindern in aller Ruhe, mit Hilfe der Nachbarn, zu denen sie seit längerem gute Kontakte unterhielt, gehen konnte. Ich war nicht wirklich überrascht, als ich an diesem Abend nach Hause kam und die leer geräumten Wohnräume vorfand. Doch in mir war ein großer Schmerz, denn damit ging ein ganz wichtiger Teil meines Lebens zu Ende. Jeder empfand das anders damals, doch wir alle wussten, dass das Gleichgewicht ganz empfindlich gestört war. Nun gab es nur noch eine Hauptfamilie: Hari, Ruth und ihre Kinder. Daneben Hannelore mit ihrem Sohn und ich, außerdem Gabriele, selbst kinderlos, doch stets ein guter Kamerad für die Kinder, und Herbert, der damals noch zu unserer Gemeinschaft gehörte, der einzige Mann, der es noch einige Jahre aushielt, sein Tun als selbstlose Hingabe begriff und ein wichtiger Freund für die Kinder war. Leider ertrug auch er die Verwicklungen, in die Hari ihn immer mehr hineinzog, irgendwann nicht mehr und zog aus, wobei wir noch eine Zeit lang Kontakt hielten.

Schlagartig hatten sich mit Katharinas Weggang die Rollen vertauscht. Zuerst stand da noch das Bemühen, sie aufzufinden und zur Rückkehr zu bewegen. Ich selbst glaubte daran nicht mehr, wusste, dass sie ihren Weg gehen würde, und doch unterstützte ich Haris Versuche, sie zu finden, denn ich wollte den Kontakt nicht verlieren.

Damals, bei ihrem ersten Weggehen, war das anders. Das war wie eine überstürzte Flucht gewesen, und sie selbst hatte mich gebeten, sie wieder abzuholen beim Haus ihrer Eltern, damals kurz vor Weihnachten, als ich hochschwanger war, todmüde spät abends ankam und wir uns riesig freuten, uns wiederzuhaben, Katharina und ich, die Kinder ihre Ursu in die Arme schlossen. Dass die Heimkehr damals nur von kurzer Dauer sein würde, ahnte ich dann bei der ersten Begegnung mit Hari. Viele Jahre später, bei meinem ersten missglückten Aufbruch nach Afrika, erinnerte ich mich an die Szene. »Na, da seid ihr ja wieder«, war alles, was Hari zu sagen hatte, als wir todmüde in der Nacht heim kamen, nach einem mehr als aufregenden Abenteuer. Er stand da und sein ganzes Wesen schien zu signalisieren: Ihr kommt nicht weg von mir, nicht ohne meine Zustimmung.

Ich denke, Katharina wusste damals genauso wie ich elf Jahre später, dass es nur ein Aufschub sein würde. Sie würde den nächsten Ausbruch sorgfältiger planen. Genauso war meine Reaktion dann in Bezug auf meine erste Afrikareise. Ich plante sorgfältiger!!

Allerdings ging es bei mir noch nicht um ein Ausbrechen aus der Gemeinschaft. Ich ging in kleineren Schritten in meine Unabhängigkeit, zunächst mal über Urlaubsreisen. Doch fast genau 13 Jahre später verließ auch ich endgültig die Gemeinschaft, die da aber längst keine mehr war. Was an gemeinschaftlichem Leben übrig blieb, das erhalten die Kinder in ihrem geschwisterlichen Einvernehmen.

Ich merkte, dass Hari Katharinas Situation überhaupt nicht wirklich verstehen wollte bzw. sie absolut nicht ernst nahm in ihrer Verzweiflung. Er war sich sicher, dass die Maschen seines Netzes so eng waren, dass keiner daraus entkommen konnte. Sich Hilfe von außen zu holen, Kontakte mit anderen Menschen zu knüpfen, das galt als Verrat an der gemeinschaftlichen Sache. All diese Regeln waren keine festgeschriebenen Vorschriften, sondern galten fast unausgesprochen allein durch Haris Vormachtstellung. Wieso sie kritiklos übernommen wurden, kann wiederum jeder nur für sich selbst beantworten, genauso wie jede von uns Frauen ihr ganz eigenes Bild von Hari hatte, ihre ganz eigene Beziehung.

So ist mir der Wesenszug von Hari, der wohl für die Frauen, die näher mit ihm zusammen lebten, manchmal bedrohlich war, stets fremd geblieben.

Lange wussten wir nicht, wo Katharina lebte, und als ich ihren Aufenthaltsort irgendwann ausfindig machte, geschah das längst nicht mehr, um sie zurück zu holen. Vielleicht hatte Hari diese Vorstellung noch immer und ich verstand ihre Ängste nicht genügend. Doch was ich erlebte bei den Besuchen, bei denen ich eine Art Mittlerrolle einzunehmen schien, das war neben der Freude, sie alle wieder zu sehen vor allem auch die Unsicherheit, mit der wir uns begegneten: ich, die noch an Haris »Mission« glaubte, die davon überzeugt war, dass wir unseren Kindern eine ganz neue Lebenswirklichkeit bieten konnten für ihr eigenes Leben und Katharina, die erst mal auf ihre Eltern angewiesen war, deren Weltanschauung sie im Grunde doch ablehnte.

Auch das war eine Erfahrung, die wir alle später auf irgendeine Weise machten: Die Auseinandersetzung mit den eigenen Eltern schien nur zeitverschoben stattzufinden. Zu sehr glaubten sie sich im Recht, nachdem die Gemeinschaft sich aufgelöst hatte und meinten, ihre »verlorenen Kinder« kehrten nun reumütig zurück zu ihren Wurzeln.

Nach Katharinas Weggang änderten sich auch die Besitzverhältnisse ganz entscheidend. Für uns, die wir ja gemeinschaftlich leben wollten, keinerlei Privateigentum hatten, mit unserem Geld auch die Verantwortung an Hari abgaben, war klar, dass es eine Regelung geben würde, damit wir weiterhin in dem Haus, das ursprünglich auf Katharinas Namen im Grundbuch eingetragen war, leben konnten. Für sie und besonders für ihre Eltern sah das aus unterschiedlichen Gründen anders aus und irgendwann standen wir vor der Tatsache, dass wir entweder ausziehen oder das Gehöft von einem Makler zurückkaufen könnten. Da ich damals bereits ein sicheres Gehalt hatte und als Beamtin kreditwürdig war, wurde nun das Haus auf meinen Namen eingetragen. Mein Gehalt war ohnehin längst in den ersten Hauskauf geflossen, und nun konnte ich auch diesen Zweitkauf finanzieren. Jeder in unserer Gemeinschaft gab sein Geld direkt an Hari; somit führte die Tatsache, dass ich als Gegenleistung unser Haus »besaß« später zu allerhand Unstimmigkeiten.

Unser Leben war insgesamt recht kostspielig geworden, obwohl wir in einfachsten Verhältnissen lebten. Zuwendungen von den jeweiligen Eltern stockten das Budget zuweilen auf, jedoch war unsere finanzielle Situation genauso undurchsichtig wie Haris recht aufwändiger Lebensstil. Bei mir floss das Geld nun in den Abbau von Schuldenbergen, die jedoch kaum geringer wurden, da ständig Neuverschuldungen hinzukamen.

Für Dich, Mutter, war in den 13 Jahren, die ich noch mit Urs in Obernwald lebte, vor allem wichtig, dass unser Haus im Grundbuch auf meinen Namen eingetragen war. Für mich war das nur insofern von Bedeutung, als ich Dich in Deiner Sorge um unsere Existenz beruhigen konnte. Für uns in unserer streng nach außen abgeriegelten Welt galten all diese weltlichen Gesetze anscheinend nicht. Eingehüllt in unsere Vision von einer besseren Welt maßen wir materiellen Werten keine große Bedeutung zu. Doch Du hast stets gewusst, dass bei all dem Unverständlichen unserer Lebensweise nicht alles verloren war, solange bestimmte Themen wie Beruf, Existenz auf einer soliden Basis stehen. Ich sah das damals keineswegs so und doch waren es genau diese normalen Dinge, die mich dahin gebracht haben, dass ich Dir irgendwann wieder in die Augen sehen konnte, dass ich mit Dir reden und irgendwann sogar mit Dir lachen konnte.
Ich bin dankbar, dass wir in den letzten Jahren einiges gemeinsam erleben konnten, ich das Normale an familiären Beziehungen auch wertschätzen konnte, all die alten Muster nicht mehr als Bedrohung erlebte, sondern als Möglichkeit, um weiter zu wachsen. Wir

haben uns wieder gefunden über Urs, den alle ins Herz schlossen und der seinen Platz sowohl in dieser Eurer Welt als auch in der so ganz anderen seiner eigenen Familie hat.

Wie stolz war ich auf meinen Sohn, als er sofort nach seinem Frankfurt-Marathon nach Bad Hersfeld ins Krankenhaus kam. Für ihn war es selbstverständlich, mir in dieser Situation beizustehen und er hatte den Wunsch, seine Oma zu sehen, ihr zu erzählen von seinen Erfolgen. Und Du hast ihm zugehört, zwei Tage vor Deinem Tod, hast gelächelt über seinen Eifer, hast noch mal, wie so oft in den letzten Jahren, teilgenommen an seinen sportlichen Erfolgen. Auch dieses Bild bleibt uns von Dir.

10
Die Wende

Dass auch ich irgendwann Marathon lief, wie selbstverständlich mich sportlich betätigte, obwohl früher der Sportunterricht das Einzige gewesen war, was mir an der Schule missfallen hatte, das war auch ein Ergebnis unseres körperbetonten Lebens, gefördert – und manchmal auch gefordert – von Hari. So wie auch andere Gruppierungen, die ihre Ziele in einer neuen Lebensweise sahen, fühlten wir uns weit entfernt von der Welt des Konsums, der Mode, des materiellen Luxus.
Da wir alle schon zu Beginn unserer Suche auf Hari getroffen waren, ihm die Führung weitgehend überlassen hatten, nahmen wir all die anderen Möglichkeiten einer veränderten Lebenswirklichkeit gar nicht wahr, brauchten sie nicht mehr zu studieren, fühlten uns gut aufgehoben auf unserer selbst geschaffenen Insel.
Doch irgendwann drängten bei jedem von uns all die verdrängten Themen ans Licht, und jeder begab sich auf seinen ganz individuellen Weg, ob als bewusste Entscheidung oder notgedrungen durch das Auflösen unserer Gemeinschaft. Hier zeigte sich dann, wie stabil das Fundament war, auf das jeder bauen konnte: der Bezug zur Ursprungsfamilie mit all den Schwierigkeiten, die das mit sich bringt, die Integration in die Gesellschaft, die wir zuvor scheinbar nur benutzt hatten, um unsere spezielle Lebensart verwirklichen zu können.

Katharinas »Verrat« damals hatte bewirkt, dass die Rollen sich neu aufteilten. Es gab nicht mehr diese Rivalität zwischen zwei

Hauptfrauen. Ruth war zur Hauptfrau geworden, eine Stellung, die sich schon durch die Anzahl ihrer Kinder mehr und mehr festigte. Doch erst viel später, als er all seinen anderen Frauen ebenfalls die Ehe versprochen hatte, heiratete Hari Ruth, ein ganz wesentlicher Schritt hin zum nächsten großen »Verrat«, meinem Weggang aus der Gemeinschaft, der erneute, nun endgültige Verkauf des Hauses bis hin zu gerichtlichen Auseinandersetzungen. Zwölf Jahre nach Katharinas Weggang begab ich selbst mich auf einen Weg, der mir damals noch völlig unvorstellbar gewesen wäre. Es war nicht wirklich eine freie Entscheidung, sondern eher aus der Not geboren, denn erstmals begann ich mich anderen Menschen anzuvertrauen und gestand mir selbst meine ausweglose finanzielle Misere ein.

Doch wie war es dahin gekommen? Was war in all den Jahren geschehen? Wie verlief unser Leben? Wie gestaltete sich unser Alltag?
Für mich selbst teile ich diese Zeit ein in die Zeit *vor* und die Zeit *nach* dem großen Brand.

Davor, das war die Zeit, die geprägt war von dem wunderbaren Erleben des Heranwachsens meines geliebten Sohnes, allerdings auch eine Zeit, in der wir alle sehr litten unter der durch die wachsende Anzahl der Kinder sich ausweitenden Verantwortung, der Arbeit, die die beiden Häuser forderten, der finanziellen Nöte, da nur drei Frauen, zeitweise nur zwei, voll berufstätig waren.
Die Zeit *danach*, die war mehr geprägt von Kontakten zu anderen Menschen, denn erstmals traten viele Helfer in das Leben unserer Gemeinschaft, Haris Familie vor allem, angespornt von seiner in Berlin lebenden Mutter, dann Ruths Familie, die beim Aufbau des Hauses half. Mehr und mehr wurde damals die Grenze gezogen zwischen unseren beiden Häusern. Obernwald, das war das Zuhause für Hannelore und mich mit unseren beiden Söhnen, zeitweise auch für Gabriele und Gerhard. Kler-

sheim, das war das Heim von Ruth und Hari mit ihren Kindern.
Dennoch spielte sich unser Alltag zwischen diesen beiden Gehöften ab, die die Kinder beide als ihr selbstverständliches Zuhause ansahen. Jede von uns Frauen entwickelte mehr und mehr ihre ganz speziellen Aufgabenbereiche; Haris Vormachtstellung blieb dennoch weiterhin erhalten, schon dadurch, dass keine von uns Frauen je auf die Idee gekommen wäre, einen anderen Mann in ihr Leben zu lassen.

Für mich war es die Zeit, in der ich mich mehr meiner eigenen Familie zuwandte, irgendwann sogar erstmals auf das Angebot einging, eine Urlaubsreise mit meinen Eltern zu unternehmen, nur Urs und ich, nahezu undenkbar, und doch war es der Beginn eines mehr selbst bestimmten Lebens. Doch das war bereits nach diesem ganz einschneidenden, schrecklichen Ereignis, dem großen Brand in Klersheim, der noch mal alles völlig durcheinander wirbelte.

Das war im Jahr 1986. Ruth hatte ihr siebtes Kind geboren, ich selbst hatte meine Doktorarbeit wieder aufgenommen, nahm Urs und Jan mit nach Bonn, wenn ich meinen inzwischen dort lehrenden Doktorvater aufsuchte. Ich wollte nicht mehr Mutter aller unserer Kinder sein, wollte meinen Weg finden und dachte damals, ich könnte das innerhalb unserer Lebensgemeinschaft schaffen, ein Unternehmen, das nicht gelingen konnte. Zu verstrickt und undurchsichtig waren die Lebensverhältnisse, die wir uns geschaffen hatten.
Ich hatte Hari am Abend nach meiner Arbeit mit nach Hause genommen, setzte ihn ab in Klersheim und hatte ein längeres Gespräch mit ihm, in dem ich ihm mitteilte, dass ich nicht mehr in der Lage sei, so weiterzuleben, mit all den Heimlichkeiten, die wie selbstverständlich unseren Alltag mitbestimmten, Heimlichkeiten in Bezug auf unser unterschiedliches Verhältnis zu Hari, Unklarheiten darüber, was noch unsere gemeinschaftliche Basis sei.

Ein paar Tage zuvor hatte es einen Riesenstreit gegeben. Der Anlass war eine Art »Kunstwerk«, das ich gemeinsam mit den Kindern gebaut hatte, mit all den Figuren der »Bärenfamilie«, die ich nach und nach besorgt hatte. Vielleicht enthielt der weiße, aus der Kiesgrube besorgte Sand, den wir auf einer Riesenfolie ausgebreitet hatten, tatsächlich giftige Chemikalien, wie Ruth behauptete? Ich sah damals eher Willkür in all den Vorwürfen, hatte das Gefühl, immer wenn ich mit den Kindern etwas besonders Schönes erlebte, gab es danach heftigste Vorwürfe, so auch später bei unserer abenteuerlichen Rheinfahrt, als ich mit sieben Kindern unterwegs war, ohne das Unternehmen vorher »absegnen« zu lassen.
Vielleicht war es auch einfach meine Art, gegen all die Bevormundung zu revoltieren, damals noch im Schutz der Kinder, die immer hinter mir standen, sogar noch viel später, als ich mit Urs meinen Alleingang unternahm und sie alle verließ. Jedenfalls wollte ich all das nicht mehr, sah aber noch keinerlei Möglichkeiten, etwas an meiner Situation zu ändern, denn wirklich gehen wollte ich nicht, wünschte mir nur mehr Eigenständigkeit in meinem Leben mit Urs.

Manchmal tauchen wohl verdrängte Schattenbereiche in der sichtbaren Wirklichkeit mit solcher Intensität auf, dass man die Augen nicht mehr davor verschließen kann. Man wird zum Handeln gezwungen, da wo man sich selbst handlungsunfähig glaubte.

Ein solcher Tag war der Tag des großen Brandes im Dezember 1986, der Morgen nach meiner versuchten Aussprache mit Hari. Wieder mal hatte ich zugesagt, die beiden älteren Kinder, damals die einzigen, die bereits schulpflichtig waren, von der Waldorfschule abzuholen. Stets blieb ich dann mit unseren beiden in Klersheim, fuhr von dort aus abends zur Arbeit, dem Unterricht am Abendgymnasium und holte sie dann spät in der Nacht ab.

Gelegentlich blieben wir auch dort. Hannelore lebte in der Zeit schon mehr in Klersheim als in ihrem eigentlichen Zuhause.
Mir war auch damals bewusst, dass ich nicht zu solch aufopfernder Hingabe fähig wäre wie sie. Mein Zuhause, das war immer mehr Obernwald und ich hoffte, irgendwann mich auch dort mehr abgrenzen zu können, zu mehr Eigenleben imstande zu sein.
Noch Jahre später verarbeitete ich in Träumen diese Zeiten, in denen ein Telefonanruf meine Pläne völlig über den Haufen werfen konnte, da ich in Klersheim gebraucht wurde und alles stehen und liegen ließ. Da ich weiß, dass es niemals eine klare Einteilung gibt in Opfer- und Täterrolle, kann ich auch Ruth keinen Vorwurf machen, weiß nicht, wie sie selbst diese Zeit beurteilt. Ich ließ vieles geschehen, obwohl alles in mir revoltierte und hatte die Konsequenzen für mein Tun selbst zu tragen.

Schon von weitem sah ich die Rauchschwaden über dem Dorf, als wir uns Klersheim näherten. Irgendwie wusste ich, was mich erwartete, mein Gefühl sagte es mir, doch mein Kopf versuchte noch eine Weile, dagegen zu arbeiten. Es gab Hunderte von Häusern in dem Dorf, wieso sollte ausgerechnet ...? Die Ahnung wurde zur Gewissheit, als uns die Feuerwehr nicht in die Burgstraße ließ, und als wir auf Umwegen zur Burgstraße Nummer 9 kamen, sahen wir es: Das alte Fachwerkhaus war völlig ausgebrannt. Es schien nur noch aus den Außenmauern zu bestehen. Ruth war mit den fünf kleineren Kindern bei einer Nachbarin, war völlig verzweifelt, und als wir uns umarmten, gab es keinerlei Groll mehr zwischen uns, nur noch dieses Gefühl: Wir halten zusammen. Wir werden auch das bewältigen. Das was uns manchmal an unseren jeweiligen Verhaltensweisen zur Verzweiflung trieb, das war der Stoff, den Hari geschickt nutzte, um eine ständige Hassliebe zwischen uns am Lodern zu halten. Das was uns darunter verband, tauchte meist nur auf, wenn wir uns in unserem eigenen Sosein begegneten, fern von der unbewusst ablaufenden Manipulation.

Die folgende Zeit war eine der härtesten überhaupt, in der ich wohl an die äußersten Grenzen meiner persönlichen Belastbarkeit kam: Neun Kinder waren zu versorgen, zuerst in unserem ersten Haus in Obernwald, später dann in einer Wohnung nahe bei Klersheim, die der Familie von der Gemeinde zur Verfügung gestellt worden war, neun Kinder im Alter zwischen sechs Monaten und acht Jahren; Kinder, die es gewohnt waren, alle erdenklichen Freiheiten zu genießen, die niemals das Leben in einer Wohnsiedlung kennen gelernt hatten.
Während die Eltern beim Aufbau des Hauses mithalfen, viel in Eigenarbeit leisteten, teilten wir drei Frauen uns die Arbeit mit den Kindern. Heute kann ich mir kaum vorstellen, wie ich in der Zeit meinen beruflichen Aufgaben nachkommen konnte, abends todmüde zur Schule fuhr und meist noch nachts mit Korrekturen und Vorbereitungen beschäftigt war. Dennoch weiß ich auch, wie sehr mich die Kinder mit Energie versorgten. Wir wuchsen noch stärker zusammen, und natürlich sagte ich die bereits festgesetzten Termine zur Abgabe meiner Doktorarbeit, die Termine für die mündlichen Prüfungen ab. Noch eine Weile hielt ich Kontakt mit meinem Doktorvater, der nicht ahnen konnte, was mich zu diesem Schritt bewogen hatte.

Eine Nacht aus dieser Zeit ist mir ganz besonders deutlich in Erinnerung, eine Nacht, in der ich das Gefühl hatte, völlig durchzudrehen, eine Nacht, von der ich noch heute denke, ich stand an einem ganz gefährlichen Abgrund und hatte einfach unsichtbare Helfer, um nicht abzustürzen. Es war die Zeit, in der diese Helfer häufig sehr nahe waren, so zum Beispiel, wenn ich nachts auf dem Heimweg im Auto kurz einnickte und wie durch ein Schultertippen aufgeweckt wurde, dicht vor einer Hauswand oder dem Straßengraben.

Ich war heimgekehrt gegen 23 Uhr und fand unsere große Küche voll gestellt mit Kleidersäcken. Viele Menschen wollten damals der Familie, die überhaupt nichts mehr hatte, helfen, gaben Kleiderspenden ab, zum Teil auch völlig unbrauchbare Dinge. Meine Aufgabe war es, alles zu sortieren, Passendes für die Kinder zu finden und die übrig geblieben Berge zur Kleidersammlung zu geben.
Ich sehe mich da sitzen, halbgeleerte Plastiksäcke um mich und schluchzend kommt es immer wieder aus mir: »Ich kann nicht mehr. Ich kann einfach nicht mehr.« Die Situation erschien völlig aussichtslos. Immer tiefer schien ich in Verantwortungen zu versinken, obwohl ich doch vorhatte, diese mehr und mehr dahin zurückzugeben, wo sie hingehörten. Ich hatte doch mehr Klarheit in mein Leben bringen wollen, mehr Eigenständigkeit, hatte neue Wege beschreiten wollen und nun saß ich hier, allein, mitten in der Nacht, zwischen Kleiderbergen, die sortiert werden wollten ...
Irgendwann war ich wieder ich selbst, erledigte, was mir noch möglich war, schuf so weit Ordnung, dass der nächste Tag in Angriff genommen werden konnte und legte mich zu Bett. In solchen Momenten hatte ich das Gefühl, dass mir im Schlaf neue Kraftquellen geöffnet wurden. Ich stand rechtzeitig auf, um das Feuer wieder zu entfachen, und bis die Kinder wach wurden, breitete sich die Ofenwärme bereits aus. Zentralheizung besaßen wir keine. Wir lebten so, wie ich selbst es als Kind gekannt hatte: Das Holz wurde im Wald besorgt, im Hof gesägt und gehackt, Kohlen wurden in den Keller geliefert, und zum Baden musste erst mal der große Badekessel angeheizt werden.
Sobald Urs am Morgen auftauchte, war alles Unerträgliche vergessen. Ein neuer Tag konnte beginnen, die Liebe zwischen uns überwog alles und schloss seine Geschwister mit ein.

Ich konnte nur in kleinen Schritten denken: Bis dahin noch, dann wird es anders. So war ein Ziel, dass das zweite Haus fertiggestellt wäre und ich wieder mehr in unserem Anwesen sein könnte. Ein anderes Ziel war die Einschulung von Urs und Jan, die auf jeden Fall in die Grundschule am Ort gehen sollten. Ich

wollte eine Art Normalität in unserem so anderen Leben haben, Kontakte im Dorf bahnten sich an, natürlich vorwiegend zu anderen »Zugereisten«, eher alternativ lebenden Familien. Unmerklich hatte sich die Wende vollzogen, ausgelöst vor allem durch die Öffnung nach außen.
Für Haris Verwandte, die zum Helfen kamen, war das andere Haus das Haus seiner Mutter. Sie hatte Schwester, Neffen und Nichten um Hilfe gebeten und sie kamen, wunderten sich über Haris eigenartiges Leben, seine Frauen, seine Kinder. Es war das erste Mal, dass wir einige von Haris Verwandten kennen lernten.
Auch Ruths Mutter schickte kostenlose Helfer: Die Arbeiter ihres handwerklichen Betriebes waren maßgeblich am Wiederaufbau des Hauses beteiligt. Es wurde moderner als zuvor, natürlich dann auch mit Zentralheizung, denn die Brandursache, obwohl nie eindeutig geklärt, rührte wohl von einer dieser Feuerstellen her.

Was mich ärgerte in dieser Zeit, das waren diese Fototermine, wenn Hari und Ruth sich mit den Kindern für unterschiedliche Zeitschriften ablichten ließen, wobei mir natürlich bewusst ist, dass nicht die öffentliche Darstellung dieses tragischen Ereignisses mich störte, sondern die Tatsache, dass hier das Unglück einer ganz normalen kinderreichen Familie beschrieben wurde und wir anderen mit unserer Idee einer Gemeinschaft völlig übergangen wurden.
Dabei war das genau die Entwicklung, die längst stattgefunden hatte: Aus dem ursprünglichen gemeinschaftlichen Projekt war eine Großfamilie mit Dienstpersonal geworden. Doch jeder schafft sich seine eigene Wirklichkeit und bei all den Verstrickungen stand zu dieser Zeit immer noch das Miteinander im Vordergrund, der Zusammenhalt gegenüber der Außenwelt, die natürlich nun mehr und mehr Bedeutung bekam.

Für mich war es auch eine Zeit, in der ich wieder intensiver den Kontakt zu meiner Ursprungsfamilie suchte. Mutter hatte noch mal eine ganz andere Seite ihres Wesens entdeckt und entwickelt: Sie wurde auf Vaters Reisen die perfekte Reiseleiterin, betreute die Reisenden, eignete sich umfassendes Wissen an und schrieb Reiseberichte, die die Fahrgäste nach der Reise zugeschickt bekamen. So viel war scheinbar schief gelaufen in ihrem Leben, entwickelte sich nicht entsprechend ihren Vorstellungen: zwei erwachsene, unverheiratete Töchter, eine davon sogar mit unehelichem Kind, ein Sohn in Scheidung, sie selbst geschwächt durch immer mehr körperliche Beschwerden. Und doch schien all das genau der Start in ein anderes Leben zu sein. Die harte körperliche Arbeit, die sie stets als ihre Aufgabe gesehen hatte, war irgendwann einfach nicht mehr möglich und endlich konnte sich das in ihr entfalten, von dem ich glaube, dass es ihre eigentliche Aufgabe in diesem Leben war, diese ganz andere Frau, mit ihrer Leichtigkeit und Lebendigkeit, so wie ich sie heimlich beobachtet hatte bei Familienfesten: Meine Mutter, eine strahlende, lachende, lustige Frau. Wenig hatten wir erlebt von dieser Seite.

Ja, Mutter, das war damals bei der Hochzeit einer Deiner jüngeren Schwestern, als wir Kinder schon zu Bett geschickt worden waren, aber noch nicht schlafen wollten. Wir vier, Kinder von Dir und Deiner Schwester, zusammen mit dem jüngsten Kind Deiner Mutter, unserem Onkel, knapp vier Jahre älter als Dein Ältester. Du sagtest uns später mal, dass Eure Hochzeit verschoben worden war, weil Dein Vater nicht wollte, dass seine Frau als Hochschwangere zur Hochzeit ihrer Ältesten ging.
So saßen wir fünf auf der Treppe und schauten durchs Treppengeländer in den großen Wohnraum, wo das Fest weiterging. Ich konnte es nicht glauben, hielt den Atem an, als ich Dich sah und war unendlich stolz auf Dich, wie Du mit Deinem Lieblingsgedicht »Wie's dehäm als frier war« die Gesellschaft unterhieltest. Du warst eine ganz andere, eine strahlende, schöne Frau und das Bild hat sich mir tief eingeprägt.

Ja, das warst auch Du! Es ist noch gar nicht so lange her, da konnte ich das noch mal erleben, obwohl die Umstände inzwischen ganz andere waren. Eigenartigerweise war auch das bei einem Fest dieser Deiner Schwester, deren Hochzeit damals gefeiert worden war. Ihr 60. Geburtstag war es, das letzte Familienfest, das Vater miterlebte, im Juni 1999. Als Du all die Beiträge und Gedichte über das Alter nicht mehr ertragen konntest (»Das ist ja nicht mehr zum Aushalten, als ob man mit 60 zum alten Eisen gehöre«), ergriffst Du Deinen weißen Blindenstock, marschiertest zielsicher nach vorne zum Mikrofon und wir hörten noch mal Dein bekanntes Mundartgedicht, für Dich eine Art Familiensaga, denn es beschreibt das damalige Leben in einer Großfamilie.
Überhaupt hast Du an diesem Abend diese Deine temperamentvolle Seite gezeigt, als Du dann bei einem Spiel Vater leidenschaftlich umarmt und auf den Mund geküsst hast. Es ist eine wunderschöne Erinnerung, weil wir auch davon zu wenig erlebt haben, es selten Zeichen Eurer Liebe gab, außer dann in den letzten Wochen von Vaters irdischem Dasein, als sogar die Krankenschwester beeindruckt war von diesem Liebespaar, das Händchen haltend beieinander saß.

Ab und zu tippte ich dann die Reiseberichte für Mutter ab, vor allem später, als ihre Sehkraft nachließ. Ich wollte nicht, dass Mutter meine unmögliche Lebenssituation mitbekam, da ich doch gerade dabei war, mehr Eigenständigkeit zu entwickeln. So saß ich dann nachts in der nun endlich ruhigen Wohnung, es war die von der Gemeinde zur Verfügung gestellte Wohnung nahe bei Klersheim, während die Kinder schliefen, denn ich hatte versprochen, den fertigen Reisebericht morgen zur Post zu bringen. Dass ich viel zu tun hatte, konnte Mutter akzeptieren, jedoch nicht, dass ich »andere« Kinder versorgte. Das hat sie nie akzeptiert. Nur Jan, der bildete eine Ausnahme. Die Vorstellung, dass Hannelore und ich uns gegenseitig in der Betreuung unserer beiden Kinder abwechselten, sie tagsüber, ich abends in der Stadt arbeitete, war annehmbar und nachvollziehbar. Doch das war nur die halbe Wahrheit.

Neben vielen Bildern aus dieser Zeit in jener Mietwohnung sticht wiederum ein Tag besonders hervor, ein Abend war es, Heiligabend im Jahre 1986, einen Monat vor Urs' fünftem Geburtstag. Wir hatten alles vorbereitet für einen schönen Weihnachtsabend, warteten auf Hari und Ruth, die erst sehr spät kamen, natürlich ohne eine Erklärung. Ich kochte innerlich vor Wut über das, was ich als »Auftritt« empfand. Es gab kein Wort über all unsere Vorbereitungen, keine Frage nach dem Tag bzw. den letzten Tagen, denn beide hatten sich längere Zeit nicht mehr blicken lassen, wussten ja, dass die Kinder gut versorgt wurden.
Ich setzte mich in einen Schlafraum der Kinder und weinte. Urs hatte mich gesucht, kam und setzte sich einfach neben mich. Ich fragte ihn, ob er Lust habe, mit mir nach Hofschweigen, zu Oma und Opa zu fahren. Er sagte ja, obwohl er sicher gerne bei seinen Geschwistern geblieben wäre. Es war wie so oft, mein Kind war eine große Stütze für mich geworden.

Keiner bemerkte es, als wir die Wohnung verließen, und als wir spät abends ankamen in Hofschweigen stellte niemand Fragen. Meine Eltern freuten sich riesig, dass ich endlich mal an Heiligabend kam, so wie sie es sich schon lange gewünscht hatten. Es war ein wunderschönes Weihnachten für mich, frei von Spannungen, und erst am zweiten Weihnachtsfeiertag fuhren wir zurück nach Obernwald, natürlich wie immer mit vielen Mitbringseln im Kofferraum. Lächerlich mag es erscheinen, wenn ich daran denke, wie sehr ich mich darüber freute, dass Hari am ersten Weihnachtstag mit den Kindern nach Obernwald gekommen war, geglaubt hatte, ich sei dort, habe alles schön vorbereitet. Doch da war niemand zum Empfang, und der Ofen war kalt. So klein die Schritte auch waren, es war der Aufbruch in ein eigenständigeres Leben.

Viel später hattest Du, Mutter, manchmal davon gesprochen, welche Kofferraumladungen an Lebensmitteln Ihr mir stets mitgegeben habt, wohl wissend, dass dies nicht nur für Urs und mich sein konnte. Auch wenn Du unsere gemeinschaftliche Lebenssituation nie akzeptiertest, so hast Du doch weiterhin Marmeladen gekocht, Obst eingemacht; und die Zeit, als wir mal auf »Rohkosttrip« waren und ich nichts davon mitnahm, war sehr schwer für Dich. Es war Deine Art, zu geben, und ich danke Dir dafür, jetzt, da ich nur noch ganz wenig tun kann für Dich.
Still liegst Du da, mit geschlossenen Augen, und ich streichle Deine Hände. Als ich einen Kuss auf diese Hände drücke, die so viel getan haben für uns, sage ich nur »Danke« und muss über mich selbst lächeln, obwohl mir die Tränen übers Gesicht laufen. Ich muss lächeln, weil ich plötzlich glaube, Deine erstaunte Stimme zu hören, die fragt: »Was machst Du denn da?«, weil ich mich wie ertappt fühle bei einer Geste, die es im Leben nicht gab zwischen uns. Doch Du sagst nichts. Erst als ich die Hand wegnehme von Deiner, streichst Du unruhig über die Bettdecke, und ich sage Dir: »Ich bin da, Mutter. Ich geh' nicht mehr weg. Ich bleibe bei Dir.«

TEIL 2

1
Reise in die Kindheit

Ein wichtiger neuer Abschnitt in meinem Leben mit Urs bildete das Jahr 1987, als er zusammen mit seinem Bruder Jan in die Dorfschule eingeschult wurde. Von nun an waren wir mehr gebunden an unseren Wohnort, nicht mehr jederzeit telefonisch abrufbar. Auch für Hari war die Tatsache, dass ich mehr an unser Haus gebunden war, von Vorteil, weil er dadurch seinen Radius, seine Spielchen ausdehnen konnte. Offiziell war ich nun vormittags zu Hause, doch wie oft war ich unterwegs mit ihm, der nie einen Führerschein besessen hatte. Es gab ja genügend Frauen, die ihn gerne chauffierten. Auch wenn ich wusste, dass ich all meine Kraft brauchte für das Haus, den großen Garten, die Kinder, meine eigene Arbeit an der Schule, gingen doch stets Haris Wünsche und Forderungen vor. Ich erlebte noch mal eine Zeit der großen Nähe zu ihm, verwechselte jedoch lange eine extreme Abhängigkeit mit Liebe.

Immer wieder hatte es diese eindeutigen Zeichen gegeben in meinem Leben, die mir sagten: So geht es nicht weiter. Pass auf Dich auf. Wach auf! Wie einen unbewussten Hang zur Selbstzerstörung sehe ich das heute, wenn ich immer wieder an den Rand des Abgrundes geriet und doch diesen unerschütterlichen Glauben in mir hatte, nicht abstürzen zu können.

Es ist wie das Bild, das immer über unserem Bett hing, im Zimmer, das ich mit meinem Bruder teilte: Der große Schutz-

engel, der hinter zwei Kindern steht, die sich direkt vor einem Abgrund befinden. Schützend breitet er die Arme über sie, natürlich wieder ein Junge und ein Mädchen, Heiner und Ursel, wenn sie nebeneinander im Bett liegend das Abendgebet sprachen. Und das war nicht nur ein Gebet, einen ganzen Gebetszyklus gab es da und ein regelrechtes Ritual des Betens. Es ging nicht darum, die Gebete mechanisch herunterzuleiern, sondern wir stellten die Forderung an uns, auch gedanklich bei dem Gesagten zu sein, »mitzudenken«, so nannten wir diese Konzentrationsübung. Wer mit den Gedanken woanders gewesen war, brauchte nur »Stopp« zu sagen, dann wartete der andere, bis die Schwester oder der Bruder im Stillen noch mal nachgebetet hatte. Manchmal waren viele Stopps an einem Abend dabei und es dauerte eine Weile, bis wir endlich durch waren mit unserem Gebetskanon. Ich weiß nicht, wie lange wir dieses Ritual praktizierten, das laute gemeinsame Beten, doch die Zeit ist mir sehr gegenwärtig und schon damals fühlte ich mich dafür verantwortlich, dass alles »richtig« gemacht wird. Ich glaube, Heiner nahm das bald nicht mehr allzu ernst und ich war häufig diejenige, die »Stopp« sagte und sich konzentriert noch mal die Worte ins Gedächtnis rief.
Als dann unser Nesthäkchen Sonja geboren wurde und die Großeltern, die im Haus wohnten, starben, bekam jeder sein eigenes Zimmer. Das waren Veränderungen, die mich tief berührten und ich mich mehr und mehr allein fühlte. Der allmähliche Übergang in einen neuen Lebensabschnitt hatte begonnen. Die Kindheit wich dem Jugendlich-Sein.

Sehr lange zog sich dieses Thema durch mein Leben: es richtig machen zu wollen: Richtig, wie Gott es wollte, richtig für Mutter, richtig, wie Hari es erwartete, immer wieder als maßgebliche Instanz das von außen Kommende und noch lange nicht das eigene Empfinden, das tiefe innerste Gefühl. Diese Stimme brauchte noch eine ganze Weile, bevor sie sich Gehör verschaffen konnte.

Doch wer hätte mich das lehren können damals: Höre auf Dein Herz, lausche auf die innere Stimme, sieh' nach, wo Dein Gefühl vergraben ist? Diese etwas diffuse innere Gewissheit, die schien zum Reich der Träumereien zu gehören, nicht brauchbar im Alltag mit seinen klaren Forderungen.

Du, Mutter, hattest selbst nicht das leben können, was Du Dir erträumt hattest. Hauswirtschaftslehrerin wolltest Du werden, Mädchen unterrichten in dem, was Du so perfekt beherrschtest. Du wolltest Deine Kenntnisse nicht nur in einer Familie einsetzen, sondern sie weitergeben, so wie Du es erlebtest bei den Lehrerinnen an Deiner Schule, der Maria-Ward-Schule. Nicht mal heiraten wolltest Du, wie Du später manchmal sagtest. Allerdings hast Du diese Aussage, als Deine erwachsenen Töchter Dich darauf ansprachen, vehement geleugnet.
Doch die Zwänge von außen waren zu Eurer Zeit, nach schweren Kriegsjahren, die Deine Jugend bestimmt hatten, viel zu groß: Als Älteste von sieben Kindern, Tochter des Bürgermeisters im kleinen Grenzort, lerntest Du Vater sehr früh kennen: Ein junger Mann, fünf Jahre älter als Du, der mit seinen 17 Jahren schon sehr ernsthaft und verantwortungsbewusst war, als er, ursprünglich gelernter Maurer, anfing, bei Deinem Vater zu arbeiten. Das war kurz vor Kriegsausbruch, und als Ihr dann innerhalb von sechs Kriegsjahren zweimal von einer Stunde zur anderen Haus und Dorf verlassen musstet, alles zurückgelassen habt, was nicht auf den alten Lastwagen passte, als Euer Heimatort nahe bei der französischen Grenze geräumt werden musste, als Eure Welt aufs heftigste durcheinander geriet, da gehörte Vater, aus dem gleichen Ort stammend, schon irgendwie zur Familie. Natürlich musste er ebenfalls in den Krieg ziehen, doch wenn es darum ging, ein neues Zuhause zu finden für die große Familie, zu der damals noch die Großeltern gehörten, dann war er helfend beteiligt, wie ich aus zahlreichen Erzählungen weiß.
Doch leider sind diese Erzählungen nur Bruchstücke. Ich kenne

Ausschnitte aus Eurem Leben und wir hatten nicht mehr genug Zeit, über all das Vergangene zu reden.

Weißt Du noch, Mutter, wie Du reagiertest, als Sonja und ich Dich baten, Deine Erinnerungen auf Kassette zu sprechen, zu einer Zeit, als Du fast völlig erblindet warst? Immer hattest Du schreiben wollen, das war Dein Medium und nun sagtest Du: Ich glaub, ich kann das nicht, das alles noch mal anschauen. Heute versteh ich Dich, denn das Abtauchen in all dieses Vergangene kostet so viel Kraft und Offenheit. Vielleicht sitze ich auch deswegen hier und schreibe, tue es für Dich, die es nicht mehr kann.

Wie so viele Menschen Eurer Generation habt Ihr beide früh Verantwortung übernommen. Für Vater war es so, dass der eigene Vater und die beiden älteren Brüder bereits in den Krieg gezogen waren, als er mit einem Schlag ebenfalls erwachsen sein musste und Du Mutter, Dich habe ich nie wirklich als Tochter Deiner eigenen Mutter gesehen. Für mich wart Ihr immer eher wie Schwestern und heute kann ich dieses Gefühl besser begreifen: Zusammen mit Deiner Mutter hast Du die Verantwortung für die Familie sehr früh mitgetragen, ein Muster, das Du auch mir, Deiner Tochter mit auf den Weg gegeben hast.

Es ist immer wieder erstaunlich, wenn jungen Menschen irgendwann bewusst wird, dass es für die eigenen Eltern ein Leben vor der Zeit ihrer Kinder gab. Wie oft sagte mein Sohn in den letzten Jahren zu mir: »Ja aber warum hast Du mir das denn noch nicht erzählt? Das muss ich doch wissen.« Und ich bin ihm dankbar dafür, dass er so viel wissen will. Es ist so wertvoll, die Geschichte der Eltern zu kennen, um das eigene Leben zu begreifen. Es sind die Wurzeln, die Basis, von der aus die Kinder weitergehen.
Und doch erleben auch Kinder, die als Geschwister in derselben Familie aufwachsen, die Zeit ihres Heranwachsens auf unter-

schiedlichste Weise; dies natürlich umso mehr, wenn auch der zeitliche Abstand hinzukommt, so wie bei Sonja und mir.
Wie erstaunt war meine Schwester, als ich ihr einmal erzählte, wie schön ich immer Mutters Singen zu Hause gefunden hatte. Dass Mutter gut singen konnte, eine kräftige schöne Altstimme hatte, das wusste Sonja natürlich. Doch gehört hatte sie das nur in der Kirche. Mutter, die zu Hause sang? Unvorstellbar für meine kleine Schwester, und erst da fiel mir auf, wann Mutter aufgehört hatte zu singen. Es muss um die Zeit gewesen sein, als sich so vieles änderte zu Hause, die Zeit ihrer vierten Schwangerschaft. Dass es vor meinem Bruder schon mal eine Schwangerschaft gegeben hatte, die in einer Fehlgeburt endete, das hat Mutter uns nie erzählt. Wir erfuhren es von einer Tante.
Mutter war 35, hatte zwei Kinder zu versorgen, war schwanger mit ihrem dritten Kind, dazu kamen die beiden Schwiegereltern, die im Haus lebten. Vater war oft weg auf Reisen, da sich das Busunternehmen mehr und mehr vergrößerte und als Großmutter dann 1964 starb, hatte Mutter die Hauptverantwortung für den blinden, geistig teilweise verwirrten Großvater, der oft fantasierte, er läge im Schützengraben. Eine große Glocke hatte er am Bett, die er läuten konnte, wenn er etwas brauchte. Und er brauchte oft Hilfe. Ich sehe Mutter in dieser Zeit ständig treppauf, treppab laufen. Sonja war damals erst ein Jahr alt.

Großmutter, meine über alles geliebte Großmutter, hatte sich einfach irgendwann zum Sterben hingelegt. Ihre Kräfte waren aufgebraucht und sie starb, wie sie gelebt hatte: Still, friedlich, voller Glauben und Vertrauen auf ein anderes Leben nach dem Tod. Noch heute sehe ich ihr liebes kleines Großmuttergesicht, mit dem sie mich noch im Tod anzulächeln schien.
Es war das erste Mal, dass ich, im Alter von 10 Jahren, eine Tote sah und es hatte überhaupt nichts Erschreckendes an sich. Es war so natürlich, Abschied zu nehmen, und erst in der folgenden Zeit merkte ich, wie sehr mir ihre freundliche Gegenwart fehlte.

Manchmal in späteren Jahren, wenn Mutter vor Empörung über mein Leben nicht mehr weiter wusste und vorwurfsvoll sagte: »Was würde nur Großmutter dazu sagen ...«, dann wusste ich, dass meine Großmutter, die längst nicht mehr lebte, mich »verstand«, dass sie mein Leben von ganz anderer Warte aus begleitete, dass sie wusste, wie tief dieser Drang zu wissen mich in unterschiedlichste Abenteuer trieb, wie sehr ich nach der Liebe suchte, von der ich ahnte, dass sie da war und die ich so wenig wahrnehmen konnte in meinem Leben. Über alle Vorschriften und Regeln hinweg gab es immer diese ganz tiefe Sehnsucht nach etwas, das immer wieder andere Namen hatte und von dem ich doch ahnte, dass es stets das Gleiche war und ist.
Großmutters Eintrag in mein Poesiealbum ist mir immer gegenwärtig geblieben und behielt seine Gültigkeit: »Unser Herz ist unruhig, bis es ruht in Dir, oh Gott.« Auf meinem ganzen Weg der Suche wusste ich stets, dass darin alle Weisheit liegt. Wie weit ich mich auch entfernte von der Religion, mit der ich aufgewachsen war und die für meine Großmutter Lebensinhalt war – immer blieb der Satz wahr für mich, verstanden als das Thema der Ur-Sehnsucht des Menschen nach seinem (göttlichen) Ursprung.

Auch Großvater hatte mir ins Poesiealbum geschrieben und auch sein Eintrag hat für mich eine besondere Bedeutung behalten. Er, der stets ein Arbeiter war, noch im hohen Alter mit der Harke aufs Feld zog, um unermüdlich die Scholle zu bearbeiten, er hatte in recht wackliger Schrift geschrieben »Und wenn ich einmal nicht mehr binn, so denk an mich mit gutem Sinn.« Irgendwie hat es mich stets angerührt, dieses »ich ...binn« zu lesen, so als stecke darin eine ganz besondere Botschaft. »Binn« passend zu dem Reimwort »Sinn«. Heute deute ich es auf meine Weise als ganz wesentlicher Sinn des Lebens, die Bedeutung des *ich bin* zu erkennen, sich diesem *ich bin* immer mehr anzunähern.

Diesen beiden Einträgen standen zwei andere gegenüber, die ich am liebsten entfernt hätte aus meinem schönen Poesiealbum. Ich

weiß nicht, ob dieses Album noch existiert, jedenfalls sind mir außer diesen vieren keine anderen Einträge mehr gegenwärtig, was mich darin bestärkt, ihnen eine nachträgliche Bedeutung für mein Leben zuzuschreiben.
Zwei Mädchen aus meiner Grundschulklasse, mit denen mich keine engen Bande verknüpften, hatten den gleichen Spruch aufgeschrieben »Wenn meine Hand im Grabe liegt und ist schon längst verwesen, so kannst Du hier in diesem Buch noch meine Handschrift lesen.« Es ging für mich um die eigenartige Darstellung des Themas Tod: so banal, ekelhaft auch, eine verwesende Hand. Tod hatte für mich nie ein solch abstoßendes Gesicht gezeigt. Da ich nie wirklich tragische Todesfälle miterleben musste, bei denen jemand allzu früh, durch Unfall vielleicht, aus dem Leben gerissen wurde, hatte das Thema Tod bereits in meiner Kindheit etwas eigenartig Schönes an sich: ein Geschehen, das Menschen einander näher bringt.
Das erste Mal erlebte ich Tod direkt mit, als Großmutter bei uns im Haus »friedlich einschlief«. Die anderen Male, auch das waren Menschen, die ihr Leben gelebt hatten, Großeltern, Urgroßeltern, und somit bildete dieses Ereignis den natürlichen Abschluss ihres Lebens, und die Beerdigung mit anschließendem Familienfest hatte etwas Wohltuendes an sich: Jemand war nicht mehr da, man sprach über ihn und fühlte den Zusammenhalt der Hinterbliebenen.
Sogar bei meinen Eltern, als ich selbst direkt Betroffene war und der Abschied weh tat, fühlte ich dann das wohltuend Gemeinsame und war froh über die Rituale eines katholischen Begräbnisses.

Meine erste intensive Begegnung mit dem Thema Tod stellte auch einen entscheidenden Wendepunkt dar in meinem Leben: Rückblickend verbinde ich den Tod meiner Großmutter mit dem Ende meiner Kindheit. Alles schien so klar und einfach gewesen zu sein, vorher.

So war ich samstags einkaufen gegangen für sie, immer abwechselnd in eines der beiden Lebensmittelgeschäfte am Ort. Mutter ging nur in den einen, den irgendwie angeseheneren Laden, doch Großmutter legte Wert darauf, die Menschen gleichwertig zu behandeln und ich erfuhr von ihr, dass man sich mit dem Beurteilen von Menschen zurückhalten sollte. Sie sprach nicht viel darüber, aber ich wusste, warum ich jeden zweiten Samstag die Einkäufe für sie in dem kleinen Kramladen mit seiner geschwätzigen Inhaberin erledigen sollte.
Das war nun vorbei. Vorbei waren auch die schönen Abende, wenn mein Bruder und ich auf dem kleinen Schemel saßen und Großmutter mit ihrem stumpfen Küchenmesserchen einen Apfel ausschabte, um uns abwechselnd mit der Aufforderung »Vechelche sperr« (Vögelchen, Schnabel auf) zu füttern.
Vorbei war auch die Zeit, da sie uns »Hasebebelche« briet und uns mit Geschichten aus der Bibel davon ablenkte, was unten im Hof geschah: Großvater hatte einen Stallhasen geschlachtet und wir aßen die Innereien, ohne uns bewusst zu sein, dass sie von dem toten Hasen waren.
Großvater versuchte immer, uns irgendwie das vorbestimmte Schicksal dieser Haustiere zu verheimlichen. Wenn kleine Häschen geboren waren, zeigte er uns, wie sie sich nach und nach im wuscheligen Nest regten, wie sie allmählich herauskamen. Doch wir durften uns nicht allzu sehr anfreunden mit ihnen, sobald sie größer wurden. Ich beneidete meine Cousine, wenn sie manchmal ihren Lieblingshasen an einem Bändchen ausführte. Vielleicht war das nur einmal geschehen, doch mir hat sich das Bild des am bunten Geschenkband geführten Hasen tief eingeprägt. Wir durften das nicht. Löwenzahn für die Hasen von der Wiese holen, das war unsere Aufgabe, genauso wie die Eier einsammeln, die die Hühner gelegt hatten, eine Aufgabe, die ich nicht gerne erledigte, da mich das aufgeregte Gegacker der Hühner erschreckte.

Doch all das gehörte mit zu dem wohltuenden Rahmen, der meine kindliche Welt umgab. Da gab es klare Unterscheidungen für richtig und falsch. Das änderte sich mit dem Älterwerden. Es wurde schwieriger, zwischen richtig und falsch zu unterscheiden. Ich tat Dinge, die ich für richtig hielt und sie stellten sich dann als falsch heraus.

Früher waren wir oft zu Großmutter gelaufen, wenn Mutter mit uns schimpfte. Sie nahm uns, ihre Enkelkinder immer in Schutz, allerdings ohne Mutter Vorwürfe zu machen. Sie war einfach der Puffer zwischen Mutter, der Energischeren, Härteren, und heute weiß ich, dass Mutter stets große Hochachtung hatte vor Großmutter, der Sanfteren, Liebenswürdigeren.
Genauso achtete diese den anstrengenden Alltag ihrer Schwiegertochter, die sich keine Ruhepause gönnte, noch in der Nacht mit Handarbeiten oder Marmelade einkochen beschäftigt war. Das Zuhause der Großeltern, das war unser Schutzraum. Hier konnte uns nichts passieren.
So auch an Weihnachten, wenn unten im Wohnzimmer verdächtig rumort wurde und wir oben in der warmen Küche beim Herd saßen. Großmutter erzählte Weihnachtsgeschichten und Großvater saß mit seinem Spazierstock an der Tür, passte auf »dass der Knecht Ruprecht nicht hochkommt«.

Großvater war es auch, der mir das Lesen beibrachte. Wenn ich bei ihm saß, während er die Zeitung las, freute ich mich, allmählich einzelne Wörter selbst zu erkennen und ich erinnere mich noch an die Überraschung meiner Mutter, als ich ihr etwas vorlas, ich, die ich noch nicht zur Schule durfte, während mein Bruder schon dieses Privileg genoss. Mit ihm vor allem wollte ich natürlich Schritt halten, ein Ehrgeiz, den ich auch später im Gymnasium noch lange beibehielt, als wir gemeinsam bis zum Abitur in einer Klasse waren. Er war, wie früher üblich, nach der fünften Grundschulklasse, ich bereits nach der vierten auf die weiterführende Schule gekommen.

Diese wohltuende kindliche Welt gab es dann irgendwann nicht mehr. Die Bereicherung, das war unser kleines Schwesterchen, auf das wir sehr stolz waren, wenn wir mit ihr spazieren fuhren. Später waren wir nicht mehr die liebenswerten Älteren. Wir kritisierten viel herum an der Kleinen, glaubten sogar, unseren Eltern gute Erziehungsratschläge geben zu können.
Wir kamen ins Gymnasium, fuhren jeden Tag mit dem Linienbus in die nahe gelegene Kleinstadt, eine andere Welt für uns, die Dorfkinder. Großmutter starb, ich zog ins obere Stockwerk, hatte nun mein eigenes Zimmer, das aber nur Schlafzimmer blieb. Das Alltagsleben, essen, Hausaufgaben, spielen, das spielte sich weiterhin in den Gemeinschaftsräumen ab. Sich zurückziehen, sich von der Familie abgrenzen, das gab es nicht.

Als ich im Alter von fast 42 Jahren mit meinem Sohn in eine Mietwohnung zog, da war für mich das Schönste, Wichtigste überhaupt, dass man seine Wohnung betritt, die Türen schließt und sich so abgrenzt gegen die Außenwelt. Es war mir gar nicht bewusst gewesen, wie sehr mir das oft gefehlt hatte, eine kleine Welt nur für mich bzw. für diejenigen, denen ich tief verbunden bin. Für alle da zu sein, sich nicht abzugrenzen gegenüber anderen, das schien ein uraltes Lebensmuster zu sein, das ich irgendwann hinter mir lassen konnte. Doch es holte mich natürlich immer wieder ein, auf unterschiedlichste Art, auch wenn äußerlich die Türen geschlossen waren.

Weißt Du noch, Mutter, wie Du mal, als mein Leben allzu schwierig schien, zu mir sagtest: »Wenn ich das Gefühl habe, nicht weiter zu können, dann bete ich zu Großmutter und ich weiß, dass sie hilft.« Du wusstest damals so wenig über meine Art des Glaubens und ich spürte, wie froh Du warst, als ich sagte: »Das mach' ich auch. Ich weiß auch, dass Großmutter mir hilft.« Da waren wir uns sehr nahe; Du, die immer sehr kirchentreu war, in strengen religiösen

Normen dachtest und ich, die ich mich scheinbar schon lange befreit hatte aus dieser einengenden Welt der religiösen Moral, in der ich aufgewachsen war.
Du hattest Angst vor der Freiheit, die ich mir mit meiner Lebensweise zugestand, doch Du spürtest auch, dass wir jenseits all dieser Normen so verschieden gar nicht waren. Dass ein Verstorbener auf der anderen Seite seine Aufgaben hat, uns auf seine Art vielleicht aus geistigen Welten helfen kann, das war für uns beide eine tiefe Gewissheit.
Diese Gewissheit kommt uns nun, da wir hier beieinander sitzen, zugute, nun da Du auf den Tod wartest, auf die Erlösung von den physischen Schmerzen, die zum Glück mit Medikamenten gelindert werden; ich selbst fühle mich eingehüllt in diese Sicherheit, dass die Helfer von der anderen Seite da sind. Wir können sogar darüber sprechen, die Scheu ist verschwunden, die uns sonst stets davon abhielt, über ein solches Mysterium wie den Tod zu sprechen. Die Scheu ist verschwunden in dem Moment, als Du gesagt hast: »Heiner, hilf mir. Ich kann nicht mehr. Ich möchte sterben.«

In diesen letzten Stunden Deines Lebens scheinen alle Gegensätze aufgehoben. Es gibt kein richtig oder falsch mehr, kein gut und böse. Da ist nur noch das Sein, dieser Augenblick des Hier und Jetzt, der so wertvoll ist.

Und wieder wandere ich weit zurück in Gedanken, erinnere mich besonders an zwei Erlebnisse, als ich so verzweifelt war, weil ich wieder mal alles *falsch* gemacht hatte, ich, die doch so gerne alles *richtig* gemacht hätte. Ich weiß nicht mehr, wann das war, doch es muss sich nach Großmutters Tod ereignet haben, denn da war niemand mehr, bei dem ich in meiner Verzweiflung hätte Zuflucht nehmen können.
Die Konstellationen hatten sich durch die Geburt unserer Schwester geändert: Mit Cousine und Cousin, die auch bald unsere Nachbarn geworden waren, waren wir stets zu viert auf-

getreten: zwei etwa gleichaltrige Geschwisterpaare. Doch nun war da ein kleines Schwesterchen, das uns eine ganz neue Position gab. Für mich bedeutete das vor allem, dass ich nun die Große war, diejenige, der man Aufträge geben konnte, die sie stets gewissenhaft erfüllte.

Schon damals hätte ich Klein-Sonja lieber aus dem kastenförmigen modernen Kinderwagen geholt und sie umher getragen, anstatt sie ordentlich zugedeckt spazieren zu fahren. Das Bedürfnis war da und auch das Gefühl, dass es in Ordnung wäre. Doch dagegen standen Mutters eindeutige Anweisungen, die auch von der älteren Cousine überwacht wurden. Tief vergraben war mein eigenes Gefühl unter all diesen klaren Maßregelungen. Es sollte fast zwei Jahrzehnte dauern, bis ich diesen Wunsch in die Tat umsetzte und mein eigenes Kind niemals im Kinderwagen herumfuhr, sondern es stets bei mir trug, zuerst im schönen Tragetuch, dann im Rückensitz oder auch auf dem Arm.
Doch damals waren es die anderen, die die Regeln vorgaben, in erster Linie natürlich meine Mutter. Ich war die Große, und die Mithilfe im Haushalt und auch auf dem Feld war eine Selbstverständlichkeit. Immer wieder gab es Situationen, da ich völlig versunken war in die Arbeit bzw. eher versunken in meine Träume. So zum Beispiel beim Spülen, wenn ich fasziniert beobachtete, wie das Wasser durch das kleine Sieb floss. Lange konnte ich mich solchen Spielereien hingeben, ohne die Umgebung wahrzunehmen, bis dann plötzlich Mutters Stimme ertönte: »Bist Du immer noch nicht fertig mit dem bisschen Geschirr?«

Oder damals, als ich wie jeden Samstag die steinerne Außentreppe putzte und aus irgendeinem Grund plötzlich in den Garten lief. Ich weiß nicht mehr, was mich weggezogen hatte von der Arbeit, irgendein Geräusch oder einfach der Gedanke an etwas, das ich mir sofort ansehen musste. Jedenfalls hörte ich Mutter, die jemanden freundlich an der Haustür begrüßte und sich dann zu entschuldigen schien, dass der Putzeimer da stand, die Treppe nur halb geputzt war. Fein säuberlich hatte ich vor dem Weglaufen noch den nassen Putzlappen über den Eimer gehängt und dann diese Arbeit völlig vergessen. Schnell kam ich zurück, schuldbewusst, doch Mutter hatte ihr freundliches Gesicht, erzählte der Frau, die für irgendeine kirchliche Einrichtung sammelte, dass »die Ursel beim Arbeiten eben immer ins Träumen gerät«. Die Frauen gingen ins Haus, ich erledigte die restliche Arbeit, froh, dass es noch mal gut gegangen war. Sobald Fremde auftauchten, war Mutter freundlich, hatte man nichts zu befürchten. Konflikte wurden nie nach außen getragen.

Schlimmer war es dann irgendwann bei der Geschichte mit den Tomaten. Mutter hatte gesagt, ich solle alle Tomaten abpflücken, ein klarer Auftrag. Mit einer großen Plastikschüssel ging ich in den hinteren Gartenteil, zu den Tomatenstöcken und fühlte mich etwas verunsichert, als ich die übervollen Stöcke sah. *Alle* Tomaten, hieß das, die reifen roten und auch die noch unreifen grünen? Nachfragen wollte ich nicht und ich erinnerte mich, dass Mutter manchmal auch unreife Tomaten im Schuppen liegen hatte, die dann in den folgenden Tagen rot wurden. Mit einem unguten Gefühl pflückte ich sämtliche Tomaten von den Sträuchern und bald war die Schüssel voll. Bevor ich noch überlegen konnte, wo ich nun all diese Tomaten deponieren sollte, hörte ich Mutters gereizte Stimme: »Was machst Du denn so lange? Wo bleibst Du denn?« Und da stand Mutter vor mir, völlig entsetzt über ihre ungeschickte Tochter.

Vielleicht war das, was Du zu mir sagtest, gar nicht so schlimm, doch für mich war es ein Weltuntergang: Ich wollte helfen, alles richtig machen, Dir gefallen und hatte genau das Verkehrte gemacht. Heute denke ich, es war auch die Verzweiflung darüber, dass ich nicht auf mein Gefühl gehört hatte, denn es gab doch stets diese innere Stimme, die mich immer warnte, bevor so etwas geschah. Gemessen an der Situation ist diese abgrundtiefe Verzweiflung, in die ich stürzte, nicht nachzuvollziehen. Ich lief ins Badezimmer,

schloss mich ein, weinte und weinte, konnte mich einfach nicht mehr beruhigen. »Aber Du hast doch gesagt, alle Tomaten«, schrie es in mir, und ich war völlig hilflos in meinem Schmerz.
Erinnerst Du Dich daran, Mutter? Ich weiß nicht, warum mir all diese längst vergangenen Situationen in den Sinn kommen, hier an Deinem Sterbebett. Es ist, als sollte das noch mal hervorgeholt werden, um es dann endgültig abzuschließen.
Als ich dann irgendwann selbst Mutter war, konnte ich all das noch weniger nachvollziehen, denn niemals hätte ich meinen Sohn in einer ähnlichen Situation allein gelassen.

Doch diese Erlebnisse tauchen nicht aus dem Nebel der Vergangenheit auf, um neue Abrechnungen aufzustellen. Sie präsentieren sich, um endgültig verabschiedet zu werden, im Sinne von Vergebung. Was wir »einander angetan« haben, stellt sich heute als ausgeglichenes Konto dar. Es war unser Weg, unser Werden und Reifen, letztendlich ein Ausgleich im Geben und Nehmen.

Es war Vater, der irgendwann kam und sagte, ich solle rauskommen, es sei alles gut; Vater, der wieder mal die Wogen glättete, doch ich hätte das von Mutter gebraucht, irgendeine Geste, dass es so schlimm doch gar nicht war.

Ähnlich heftig war das Erlebnis mit dem »Teeservice für Margarethe«. Da beide Erlebnisse gefühlsmäßig sehr eng miteinander verbunden sind, denke ich, dass sie auch zeitlich nah beieinander liegen, wohl in eine recht spannungsgeladene Zeit fallen.
Margarethe, eine Bekannte der Familie, hatte mitgeholfen bei einem Familienfest, und zum Dank dafür sollte ich ihr ein Teeservice bringen, das Mutter für sie gekauft hatte. Sie war bekannt dafür, dass sie für ihre Dienste nie etwas annehmen wollte. Ich solle mich nicht abweisen lassen, meinte Mutter und ich ging los, etwas verunsichert, denn die einzige Margarethe, die ich kannte, wohnte zwei Häuser weiter und war gerade mal ein Jahr älter als

ich. Dahin ging ich nun mit dem erlesenen Teegeschirr, wieder mal mit dieser kaum wahrnehmbaren inneren Stimme, die mir sagte, dass etwas nicht stimmte.
Es war mir schrecklich peinlich, als die Mutter von Margarethe sagte, es sei wohl eine Verwechslung. Und das war es auch. Natürlich ging es um eine andere Margarethe, eine junge Frau damals, die überraschenderweise viele Jahre später die Stiefmutter von jenem Mädchen wurde, dem ich das Teegeschirr hatte bringen wollen. Wieder kann ich genau das Gefühl in mir abrufen, als ich heim trabte mit dem nicht angenommenen Päckchen, angstvoll Mutters Gesicht erwartend. Ich war einfach zu dumm, konnte nicht den einfachsten Auftrag ausführen. Entsprechend heftig war auch Mutters Reaktion.

Für mich ist auch dieses Erlebnis ein Beispiel für die Schwierigkeiten des Sich-Verständigens, mit denen ich aufwuchs, sicherlich wieder einmal stellvertretend für viele andere Kinder meiner Generation, die ähnliches erlebten. Es war eine neue Zeit, wir hatten diesen deutlicheren Bezug zu unserem Inneren, waren nicht mehr so verankert in den Regeln, die noch für unsere Eltern gegolten hatten. Doch wir sahen oft noch keine Möglichkeit, uns bemerkbar zu machen, nachzufragen, Klarheit einzufordern, wenn es nötig war.
Doch noch ein ganz anderes Muster erkenne ich hier: Die Scheu nachzufragen, wenn Unsicherheiten auftauchen und stattdessen dem Gefühl »Es wird schon alles gut gehen« Raum geben.

Das Eigenartige an der Geschichte ist auch, dass im Büffet-Schrank unseres elterlichen Wohnzimmers, hinter der Glasvitrine stets ein Teegeschirr stand, das wir auch gelegentlich benutzten: Glasbehälter mit Goldeinfassung. Bis vor Jahren hatte es mich stets an diese Geschichte erinnert und ich hatte lange angenommen, dies sei das von Margarethe zurückgewiesene Teegeschirr. Es ist noch nicht allzu lange her, dass ich Mutter darauf ansprach und sie war höchst verwundert, denn dieses war unser Teegeschirr. Sie erinnerte sich zwar an das Geschenk, nicht aber an meine »Fehlleistung«, wusste nur, dass sie selbst es damals vorbeigebracht hatte. »Sie wollte doch nie etwas annehmen.«

Ja, Mutter, Du hattest mich losgeschickt, wohl wissend, dass es ein recht schwieriger Auftrag sein würde und was wohl am schlimmsten ist, Du hast meine Verunsicherung bei solchen Aufträgen nicht wahrgenommen. Hab' ich mich deshalb so sehr bemüht, um Dir zu beweisen, dass ich so dumm gar nicht bin? Wir werden diese alten Geschichten nicht mehr klären, doch wir können sie zu den Akten legen. Du hattest Deine Gründe, so zu sein wie Du warst, Gründe, die aus Deiner eigenen Geschichte resultierten. Und mich hat der Schmerz über so viel Zurückweisung genau dahin gebracht, wo ich meine eigene Lebensaufgabe sehe. Oder noch viel einfacher: All das Erlebte hat uns hierher gebracht, auf die Intensivstation des Krankenhauses Bad Hersfeld, wo wir Abschied nehmen voneinander, wo Du mir all diese Stunden der Nähe schenkst, all diese Gedanken und wo in mir der feste Vorsatz reift, all das aufzuschreiben. Es ist wie ein tiefes Versprechen, das ich Dir gebe, während all diese Filme in mir ablaufen.

Als ich Margarethe beim Begräbnis meiner Mutter im November 2003 sah, hätte ich ihr gerne die Geschichte von dem Teeservice erzählt. Sie stand da, schon lange Witwe, recht verloren unter all den Trauergästen; eine Frau, die stets geholfen hat, die nie etwas annehmen wollte für ihre Dienste, die selbst nie Mutter war, die einen Witwer mit halbwüchsigen Kindern geheiratet hatte. Sie stand da am Grab meiner Mutter und kam dann auf mich zu, gab mir die Hand, drückte ihr Beileid aus. Gerne hätte ich sie umarmt, doch es hätte sie wohl erschreckt. So nah standen wir uns nicht und sie konnte ja nicht ahnen, welch eigenartige Gefühlsbande mich mit ihr verbanden. So stand ich, die fast 50-Jährige vor ihr und dachte, dass sie wohl zu Hause auch einen Büffet-Schrank hat, in dem ein mit Gold umrandetes Glas-Teegeschirr steht.

»Es richtig machen wollen«, wie lange begleitete mich dieser Anspruch, und wie schmerzvoll war der Weg der Erkenntnis, dass es kein *richtig* und *falsch* gibt im Leben. Es sind Erfahrungen, Meilensteine auf dem eigenen Weg, doch Erfahrungen, die man nur selbst machen kann, und auch wenn die Ideen und Gedanken schon in jungen Jahren präsent sind, man überzeugt ist zu *wissen*, so kommt man doch nicht um die ganz eigene Erfahrung herum. Die Erkenntnis bewahrt einen nicht davor, durch die eigenen Schattenwelten zu wandern.

2
Reisen als Weg

Eine Zeit lang hatte ich noch gerungen um Euch, um Eure Liebe, Euer Verständnis. So zum Beispiel damals, als ich Dir diesen Text von Khalil Gibran über die Kinder als Geburtstagsgeschenk überreichte, fein säuberlich aufgeschrieben, mit einer Zeichnung versehen und eingerahmt. Es war einer von vielen Versuchen, Dir zu sagen, wie sehr ich Euch liebe, Dich und Vater und dass ich Euch bitte, mich gehen zu lassen. Mein Freiheitsbedürfnis war stets bedrohlich gewesen für Dich und, solange ich zu Hause lebte, war es mir nie gelungen, ein Vertrauensverhältnis zwischen uns zu entwickeln. Es ging mir damals als Jugendliche nicht darum, mit Jungs umherzuziehen, Alkohol zu trinken, zu rauchen – alles Dinge, vor denen Du panische Angst hattest. Darum ging es mir nicht, wohl aber um die Freiheit meiner Seele. Natürlich konnte ich das damals selbst noch nicht benennen, wollte Euch einfach sagen: Vertraut mir doch einfach. Lasst mich meine eigenen Erfahrungen machen. Doch wie solltest Du das verstehen, da ich doch selbst so lange brauchte, um all das heute begreifen zu können.

Eigenartigerweise habe auch ich ein neues Freiheitsgefühl über das Thema Reisen entwickelt; eigenartig deshalb, weil es ja in Deinem Leben der Aufbruch in etwas völlig Neues war, als Du Vaters Reisebegleiterin wurdest.

Der eigentliche Aufbruch in ein neues Land, das geschah dann bei dem Thema Afrika. Afrika, das war mein Aufbruch in die Freiheit, obwohl meine erste größere Reise noch eingebunden war in unvorstellbare Unfreiheiten.

Es hatte andere Versuche des Aufbruchs gegeben: Die Reise nach Südtirol damals im Herbst 1987; jene denkwürdige erste Begegnung mit Hermann, deren eigentliche Bedeutung mir erst zwölf Jahre später bewusst wurde. Dann die ersten großen Radtouren, die ich mit den Kindern in den großen Ferien unternahm. All das waren Ansätze zu einem eigenständigeren Leben, Pläne, die ich selbst oder mit den Kindern in die Tat umsetzte. Doch das Thema Afrika übte einen ganz entscheidenden Einfluss aus auf unser zukünftiges Gemeinschaftsleben.

Das war im Jahr 1993. Margit Jung, eine Ärztin, die ich über Hari kennen gelernt hatte und zu der ich persönlichen Kontakt pflegte, hatte mich und Urs eingeladen, die Weihnachtsferien bei ihr und ihrem Lebensgefährten in Simbabwe zu verbringen. Sie ahnte damals gar nicht, wie nahezu unmöglich es für mich sein würde, diese Reise zu unternehmen, einmal aus finanziellen, zum anderen aus ganz persönlichen Gründen. Wie sollte ich das vor der Gemeinschaft rechtfertigen, dass ich mit Urs eine solch exklusive Urlaubsreise vorhatte? Ich sagte Margit damals zu, ohne zu wissen, wie ich das bewerkstelligen sollte, diesen Ausbruch aus unserer abgeriegelten Welt. Ich sagte zu, weil ich dieses Abenteuer gerne mit Urs unternehmen wollte, aber auch, weil ich mich nach außen gerne als die Unabhängige, Selbstständige gab. Niemals hätte ich damals eingestehen wollen, dass ich mit knapp 40 Jahren nicht in der Lage war, eigenständig in Urlaub zu fahren, dass ich zuerst Haris »Erlaubnis« brauchte zu solch einem Unternehmen.

Ich musste mich auch deshalb frühzeitig entscheiden, weil die Reise in die Weihnachtszeit fallen würde und wir uns frühzeitig um den Flug kümmern mussten. Also buchte ich den Flug und begann irgendwann, Hari darauf vorzubereiten, wobei ich heute nicht mehr genau weiß, wie das ablief. Im Grunde waren es vor allem meine eigenen Ängste, die mir eigenständige Schritte erschwerten, denn niemals habe ich ganz konkrete Versuche von Hari erlebt, mich in meinen Vorhaben zu behindern. Allerdings verstand er es gut, mich in meiner Afrika-Euphorie zu bremsen: Afrika, das hörte sich gut an. Und überhaupt war er ja lange nicht mehr in Urlaub gewesen. Irgendwann schien es für ihn klar, dass er mit mir nach Afrika käme, völlig davon überzeugt, dass es für mich nichts Schöneres geben könnte, als mit ihm Urlaub in Afrika zu machen. Doch dem war damals nicht mehr so. Ich wollte mit meinem Sohn nach Afrika und mit niemandem sonst. Dass es dann doch noch mal ganz anders kam, konnte ich im Sommer 1993 noch nicht ahnen.

Da gab es wieder mal einen solch eigenartigen Moment, der sich so intensiv einprägt in das eigene Bewusstsein und dessen Bedeutung man erst viel später versteht.
Das war kurz nach meinem dritten Marathonlauf im Oktober 1993. Ich hatte mir bei einem Arzt in seiner Praxis ein kleines Geschwulst am Schienbein ambulant entfernen lassen. Als ich zur Nachuntersuchung ging, kam Hari mit, denn auf seinen Wunsch hin hatte ich einen Termin für ihn vereinbart, ahnte aber nicht wirklich, worum es ging. Als mich der Arzt nach Haris Untersuchung fragte, ob wir verheiratet seien, dann ob ich mit Hari verwandt sei und ich seinen Blick sah, weil er mir nichts sagen durfte, ahnte ich, dass etwas geschehen war, etwas, was unser gemeinschaftliches Leben noch mal ganz durcheinander wirbeln würde.

Hari war ernsthaft krank, ein Tumor war diagnostiziert worden und in den folgenden Wochen ging es darum, ob er sich der Operation, die ihm dringend angeraten wurde, unterziehen oder, wie er es vorzuziehen schien, seinen eigenen Weg der Selbstmedikation gehen würde. Plötzlich hatte sich alles verändert. Es schien, als habe Hari nicht mehr allzu lange zu leben. Er sprach davon, als wolle er sich allmählich verabschieden von uns. Sein Programm der Selbstheilung umfasste unterschiedlichste Methoden, einschließlich extremer Fastenkuren und es war völlig ungewiss, was die nächsten Monate bringen würden.

Ich warf mir vor, gefühllos und egoistisch zu sein, wenn ich an Afrika dachte. Und doch war es so: Aus ganzem Herzen wollte ich diese Reise machen, sah in diesem Abenteuer den Aufbruch in ein anderes Leben, freute mich darauf und fürchtete gleichzeitig, dass etwas schief gehen könnte. Ich hatte keine Reiserücktrittsversicherung abgeschlossen, wollte mir selbst nicht die Möglichkeit des Rücktritts von dieser Reise offen halten. Die folgenden Wochen würden zeigen, was möglich war. Jedenfalls brachen meine Bekannten, die ich dort besuchen wollte, schon Anfang November nach Afrika auf, würden Urs und mich am ersten Weihnachtsfeiertag in Harare erwarten.

Die Reise rückte näher, Hari ging es wieder besser. Vielleicht war seine eigene Art der Heilung erfolgreich? Ich wünschte es ihm, doch ich wünschte mir ebenso, nun endlich die lang ersehnte Reise anzutreten. Natürlich hatte ich meinen Eltern davon erzählt und ich weiß, dass Mutter sich vor allem darüber freute, dass ich so engen Kontakt zu »normalen« Menschen hatte.
Dagegen hatte die Vorstellung, mit Hari in Harare anzukommen, meine Gastgeber so vor den Kopf zu stoßen, für mich nichts Angenehmes an sich. Und vor allem fragte mich auch Urs, als Weihnachten vor der Tür stand, ob es denn sicher sei, dass er mitkomme. Ich versicherte es ihm und es war dann auch so, allerdings verzögerte sich unser Abflug um zwei Tage und wir reisten nicht zu zweit, sondern zu viert: Zwei von Urs' Schwestern saßen mit im Flugzeug und Urs freute sich riesig, sie dabei zu haben. Auch wenn vieles anders ablief, als ich es mir vorgestellt hatte, war es eine wunderbare Zeit und als wir zurückka-

men und erfuhren, was alles geschehen war zu Hause, war unser erster Satz »Wir fliegen zurück nach Afrika«.
Das taten wir natürlich nicht. Doch diese Reise hatte etwas freigesetzt in mir, eine neue Energie angekurbelt, die mir half, die nächste Zeit nicht nur zu überstehen, sondern sie auch sinnvoll für meinen weiteren Weg in ein selbst bestimmtes Leben zu nutzen.

Wahrscheinlich hatte Hari zu Hause bis zuletzt davon gesprochen, dass er mit mir verreisen würde. Es war seine Art, Unruhe zu stiften und das, was er damit an Emotionen auslöste, konnte er dann oft selbst nicht mehr kontrollieren. Die Wogen schlugen hoch, als Urs und ich aufbrachen in Richtung Flughafen. Mit Hannelore, die uns wieder mal helfend unterstützte bei unserem Reiseunternehmen, war ausgemacht, dass sie am folgenden Tag unser Auto aus der Tiefgarage abholen würde. Das Ticket würden wir ihr zuschicken. Im Grunde konnte nichts mehr geschehen, so dachte ich und doch weiß ich, dass diese innere Stimme, die auf etwas hinweisen will, wieder mal vergeblich sprach. Ich hörte sie nicht, noch nicht.

So simpel war das Hindernis, dass ich es auch heute noch nicht glauben kann: Mein Reisepass war abgelaufen. Darauf hatte ich, die Reisen nicht gewohnt war, nicht geachtet. Ich nahm sogar an, ich könnte mit meinem einfachen Personalausweis nach Simbabwe fliegen. Es folgten bange Stunden, in denen wir sogar einen Ersatz erstellt bekamen, allerdings mit der Feststellung, vielleicht würden wir in Harare wieder zurückgeschickt. Dazu kam es allerdings nicht, denn als wir zum Einchecken gehen wollten, erfuhren wir, dass unser Flugzeug schon zum Start gerollt war. Ich sehe vor allem das bleiche Gesicht von Urs vor mir in diesen Stunden, in denen ich panisch versucht hatte, noch etwas geregelt zu bekommen. Ganz still war er und erst als klar war, dass wir nun erst mal nicht fliegen würden, löste sich allmählich die Spannung. So warteten wir am Briefkasten, in dem unser Parkticket bereits lag, dass jemand zur Leerung käme, bis uns irgendwann klar wurde, dass heute Weihnachten war, der erste Feiertag und der Kasten würde nicht geleert werden.

Als ich dem Pförtner im Parkhaus unsere Situation erklärte und er uns das Tor auch ohne Parkticket öffnete, meinte er, die Geschichte über den verpassten Flug könne er gar nicht so recht glauben. Wieso, fragte ich. Und er meinte, dafür seien wir beide viel zu guter Dinge.
Es tat gut, das von einem Fremden zu hören. Die Spannung war tatsächlich abgefallen von uns und ich versicherte Urs, dass wir es schaffen würden. Nun erst recht wollte ich mit ihm nach Afrika.
Es war dann der Moment, den ich schon mal auf ähnliche Weise erlebt hatte, damals bei Katharinas Rückkehr. Lächelnd empfing uns Hari, als sei doch klar, dass wir nicht einfach die Gemeinschaft so verlassen könnten. Ich hatte es Urs nicht antun wollen, direkt nach Obernwald zu fahren, heute an Weihnachten, da alle seine Geschwister im anderen Haus in Klersheim waren. Wir verbrachten den Weihnachtsabend dort und während Hari dachte, ich würde nun Abstand nehmen von dieser Reise, legte ich mir innerlich genau die folgenden Schritte zurecht, denn eines war mir klar: Wir fliegen nach Afrika! Erst am darauf folgenden Werktag konnte ich meinen Pass verlängern lassen.

Inzwischen hatte ich schon mit der Frau telefoniert, bei der ich die Reise gebucht hatte und es war mir schrecklich peinlich, ihr mein Missgeschick zu erklären. Wir kannten uns nicht persönlich, hatten nur miteinander telefoniert und das Schicksal führte uns Jahre später auf ganz anderen Wegen zusammen. Heute sind wir befreundet und meine damalige Reiseveranstalterin erinnert sich gar nicht mehr an diese panische Frau von damals, genauso wenig weiß sie, dass plötzlich in letzter Minute noch

mal zwei Tickets gekauft wurden, da auch zwei Mädchen nach Harare reisten.
Wieso noch Plätze frei waren, verstand ich damals nicht und dass die Schwestern, die in Winterkleidung ohne Gepäck mit ihren Eltern zum Flughafen gekommen waren, mit uns kommen würden, konnte mich nicht mehr erschrecken. Hauptsache, das Flugzeug würde bald abheben. Irgendwann atmete ich auf und sagte mir: Wir werden das meistern.

Da ich nicht wusste, ob meine Gastgeber die Nachricht, die ich versucht hatte, nach Harare durchzugeben, erhalten hatten, blieb noch das Problem, wie wir sie finden sollten. Eine Adresse hatten wir nicht, nur vage Angaben über eine Farm in den Vumba-Bergen, wo sie ein Haus gemietet hatten. Es war die Zeit, in der man glaubte, in Simbabwe gehe es politisch aufwärts, damals, Ende 1993, und auf sehr abenteuerlichen Wegen, in mit Menschen, Tieren und Gepäck überfüllten Bussen gelangten wir unserem Ziel näher, doch es schien aussichtslos, unsere Freunde in diesem unbekannten Land zu finden. Tatsächlich hatten sie keine Ahnung, warum ich nicht mit dem angekündigten Flug gekommen war und ich wusste nicht, ob sie uns überhaupt noch erwarteten.

Wir vier erregten natürlich Aufsehen unter den Einheimischen, vor allem die beiden blonden Mädchen. Anfänglich war all das so ganz Neue sehr reizvoll für uns, doch nach einer vollen Tagesreise durch die afrikanische Hitze, ohne Aussicht, überhaupt jemals anzukommen, verließ mich irgendwann der Mut. Wieder mal waren wir aus einem Bus ausgestiegen, wussten noch nicht, in welche Richtung es nun weitergehen sollte und ich lehnte erschöpft an einer Hauswand. Da packte Urs sein ferngesteuertes Auto aus, und schon waren meine drei umringt von neugierigen farbigen Kindern, die begeistert dieses fantastische Gefährt verfolgten. Es war wieder einer jener ganz besonderen Momente, wie sie das Leben so oft bereithält, wenn man glaubt, nicht mehr weiterzukönnen.

»Kommt, wir gehen ein paar Sommersachen für Euch kaufen«, sagte ich zu den Mädchen, die ja nichts mit hatten außer dem, was sie am Körper trugen und nach und nach abgelegt hatten. Die Winterschuhe zumindest müssten erst mal durch Sandalen ersetzt werden.

Es war der rechte Moment für den rettenden Engel, der in Form eines indischen Geschäftsinhabers auftauchte, uns fragte, woher wir kämen, sogar unsere Gegend in Deutschland kannte, da er dort studiert hatte. Als könne nun, da ich (wieder einmal) losgelassen hatte, Neues geschehen, bot er sich an, uns zu helfen. Nachdem er uns mit schattigen Sitzplätzen und erfrischenden Getränken versorgt hatte, machte er sich an die Aufgabe, unsere Gastgeber ausfindig zu machen. Eine halbe Stunde dauerten seine unterschiedlichen Telefonate und er kam mit der frohen Nachricht, dass wir in etwa einer Stunde abgeholt würden. Welche Erleichterung!
Alles andere, die Überraschung, dass vier Besucher anstelle von zwei kamen, die veränderten Unterbringungsmöglichkeiten, unsere weiteren Pläne, entwickelte sich dann unter dem wunderbaren Gefühl des Abenteuers, erstmals diesen wunderbaren Kontinent zu erleben.
Für Urs war das Erlebnis Afrika umso einprägsamer, als er es teilen konnte mit seinen Schwestern. Für mich hatte unsere ungewöhnliche Ankunft zur Folge, dass ich mich erstmals anderen Menschen mitteilte, hier, tausende Kilometer von zu Hause entfernt, mich diesen beiden Menschen anvertraute, die mir dann in den folgenden Jahren wertvolle Hilfestellung geben konnten, da sie im Unterschied zu meinen Eltern nicht emotional verstrickt waren in dieses mein so andersartige Leben.

Noch mal erlebte ich Afrika, genau fünf Jahre später, diesmal Uganda. Bis dahin hatte sich so unglaublich viel verändert in meinem Leben, und da erlebte ich erstmals eine ganz neue innere Freiheit bei diesem meinem ersten Alleingang. Urs war in jenen Weihnachtsferien zusammen mit seinem Bruder Jan mit der Berliner Oma auf Mallorca-Urlaub. Doch bis dahin galt es noch eine sehr bedeutsame Wegstrecke zurückzulegen: Die Jahre zwischen diesen beiden Afrika-Urlauben brachten die wesentlichsten Veränderungen in meinem Leben in der Gemeinschaft.

Mutter, auch Du hast Afrika miterlebt. Es war mir ein Bedürfnis, Dich, die Reisefreudige, daran teilhaben zu lassen an dieser meiner ersten großen »Weltreise«, Dich, die noch nie über die Grenzen Europas gekommen war. Ich wollte Dir erzählen von meinem mehr und mehr selbst bestimmten Leben, und somit ließ ich in meinem großen Reisebericht, den ich Dir dann auf Kassette sprach, die ganzen Ungereimtheiten wie z. B. die verzögerte Abreise weg. Auch, dass Urs und ich nicht allein unterwegs waren, das brauchtest Du nicht zu wissen. Überhaupt sah mein Leben in Deinen Augen damals schon wesentlich geordneter aus als in Wirklichkeit. Doch das waren Dinge, die ich zu regeln hatte. Allein den Reisebericht zu verfassen, die Bilder in einer schönen Collage anzuordnen, dann den Bericht auf Kassette zu sprechen, all das hatte ich mir zur Aufgabe gemacht nach unserer Rückkehr und ich wollte Euch damit vor allem aus meinem neuen Leben berichten.

Bei unserer Heimkehr war niemand zum Flughafen gekommen, um uns abzuholen. Hari wolle unser Haus in Obernwald. verkaufen, erfuhren wir, als wir zu Hause anriefen. Es war eine von vielen weiteren Verrücktheiten, die in der nächsten Zeit in Umlauf gebracht wurden und mit denen ich mich keinesfalls mehr beschäftigen wollte. Wir fühlten uns wie Verbündete, als wir dann mit dem Zug nach Hause fuhren und sagten uns: »Sollen sie doch. Dann fliegen wir eben zurück nach Afrika«. Die Zukunft schien so einfach in dieser Reiseeuphorie, die uns noch eine Weile gefangen hielt.

Afrika hatte neue Energien freigesetzt in mir, die Sehnsucht nach einem anderen Leben in mir geweckt und erstmals auch die Sehnsucht nach einer ganz normalen Liebesbeziehung.

Dabei hatte es in meinem Leben schon mal eine Afrikareise gegeben. Doch das war wie in einem anderen Leben gewesen, ganz zu Beginn unseres gemeinschaftlichen Lebens, als Hari mir überraschend sein Ticket gab, weil er nicht fliegen wollte: Eine All-Inklusive-Reise war das, auf die tunesische Insel Djerba. Das war nach meiner Knieoperation und ich sollte Wärme und Sonne nutzen, um die Heilung zu beschleunigen. Wochenlang hatte ich Schmerzen gehabt, bis schließlich die Operation, bei der ein Band verkürzt wurde, Abhilfe geschaffen hatte. Mitten zwischen gut ausgerüsteten Touristen flog ich nach Tunesien, als Gepäck eine Plastiktüte, die mir Hari am Flughafen in die Hand gedrückt hatte. Im Grunde genoss ich auch diese Reise damals, hielt mich fern von den Mitreisenden, wollte keinerlei Kontakte und erlebte die schöne Insel auf ganz eigene Weise.
Im Nachhinein erscheint mir dabei vor allem eigenartig, dass ich vor dieser ersten Reise Margit Jung kennen gelernt hatte und nie hätte ich mir träumen lassen, dass sie auf gewisse Art viele Jahre mit beteiligt sein würde an meinem Weg in ein neues Leben.

Auch in meinem Tunesien-Urlaub, Jahre vor Urs' Geburt, vergaß ich Euch nicht. Ich weiß noch, wie ich in einem Brief versuchte, Euch meinen überraschenden Urlaub zu erklären. Ich schrieb, die Gemeinschaft habe mir den Urlaub zur schnellen Genesung geschenkt, wobei Du, Mutter, natürlich schon damals wusstest, wie dieses Schenken gemeint war. Dir war von Anfang an klar, wohin all meine Verdienste flossen, damals als ich noch im Studium war und mein Bafög mit Nebenjobs aufstockte. Auslandsaufenthalte, die meinem Fremdsprachenstudium zugute kamen und auf die Du immer sehr stolz warst, gab es nicht mehr. Meinen Plan, eine Assistentenstelle in Frankreich, die mir bereits zugesagt worden war, anzutreten, hatte ich aufgegeben. Ich verschwand damals in einer Lebensart, die uns beiden so fremd war und ich versuchte, Euch noch eine Weile daran teilnehmen zu lassen. Vielleicht waren es auch zaghafte Hilferufe, doch mein Weg hatte bereits eine eindeutige Richtung eingeschlagen, erst mal weg von Euch und heute, knapp drei Jahrzehnte später, würde ich sagen, hin zu mir selbst und damit auch wieder zu Euch, meinem Ursprung.

Auch damals war niemand zum Flughafen gekommen, als ich zurückkam. Ich fühlte mich recht allein, fuhr in mein damaliges Zuhause, wo alle zur abendlichen Gesprächsrunde versammelt waren. Sobald ich all die Menschen sah, die meine neue Familie bildeten, vor allem Hari, der zu der Zeit längst einen ganz wichtigen Platz in meinem Herzen hatte, fühlte ich mich angekommen, war dort, wo ich hingehörte, in meinem selbst gewählten, damals neuen Leben. Reisen gab es dann erst mal lange nicht mehr.

Das nahm ich erst viel später wieder auf, als Urs größer war, und immer waren dann diese Reisen Schritte in mein neues Leben, allein durch die Öffnung nach außen, wodurch neue Energien in unser abgeriegeltes Dasein gelangten.
Dennoch hätte ich mir damals, 1994, als so vieles geschah, nicht träumen lassen, dass innerhalb nur eines Jahres dieser so wichtige Lebensabschnitt, das Leben in der Gemeinschaft um Hari, das Dasein für all die Menschen in dieser Gemeinschaft, die Sorge für die Kinder, all das, was mein Leben fast zwei Jahrzehnte lang ausgemacht hatte, zu Ende gehen, ich zusammen mit Urs in ein so ganz anderes Leben aufbrechen würde. Erst rückblickend kann ich all die Schritte erkennen, die zu diesem ganz entscheidenden Neuanfang führten, der in der Biografie meines Sohnes wohl als das Ende seiner Kindheit auftauchen würde.

Die Zeitspanne erscheint kurz und doch war all das was geschah, lange vorbereitet, nicht bewusst, nicht mit klarer Überlegung, wohin der Weg gehen sollte, aber unbewusst in all den Gedanken und Sehnsüchten nach etwas anderem, gleichzeitig verbunden mit diesem tiefen Vertrauen, dass die äußeren Umstände dem inneren Weg entsprechen.
Es war, als hätten all die äußeren Geschehnisse nur darauf gewartet, dass ich in Bewegung geraten, endlich Entscheidungen treffen würde. Der Stein war ins Rollen gekommen, und dennoch erschienen mir die darauf folgenden Jahre der inneren Arbeit zuweilen noch wie Sisyphus-Arbeit, wenn ich scheinbar immer wieder von neuem begann. Doch es war nur scheinbar so.

3
Aufbruch in Neues

In dieser ereignisreichen Zeit, die nun folgte, kann ich das Geschehen nicht immer chronologisch in der Erinnerung abrufen. Es sind Einzelerlebnisse, die den gewohnten Ablauf erschütterten bzw. mich auf all das Neue vorbereiteten.
Zu diesen Ereignissen gehörte bereits mein 40. Geburtstag am 20. November 1993. Wie in den letzten Jahren auch war es vor allem ein Fest für alle »unsere« Kinder, die am Nachmittag kamen, zusammen mit Ruth und Hari. Ich hatte Kuchen gebacken, der erste Schnee war gefallen, es würde ein schöner Tag werden. Womit ich nicht gerechnet hatte, war, dass ich an diesem Tag mit Hari ein langes Gespräch führen würde. Ich weiß nicht mehr genau, worum es dabei ging. Ich weiß aber noch genau, was ich empfand, dass ich das Gefühl hatte, es geschehe etwas Neues. Ich fühlte mich freier, offen für meinen weiteren Lebensweg und das, obwohl es da noch keine konkreten Vorstellungen gab, wie der aussehen könnte. Jedenfalls wollte ich unser großes Haus auch für andere Dinge öffnen, dachte daran, Kurse zu geben, Yoga vielleicht oder Meditationsabende.

Ein anderes Ereignis war der Abend, an dem ich an Haris Finger einen Ehering sah. Das war nach der Afrika-Reise, als sich die Ereignisse zu überstürzen schienen. Ich hatte es geahnt, hatte nachgebohrt in der Zeit davor, und doch hatte Hari dieses Vorhaben geheim gehalten. Es ging nicht darum, dass ich eifersüchtig war auf seine Entscheidung, Ruth zu heiraten. Darum ging es schon lange nicht mehr. Und dennoch fiel ich regelrecht in einen Abgrund, weinte und schluchzte, ohne genau zu wissen, worüber. Heute denke ich, es war ein Ausbruch der enttäuschten Illusionen, das Gefühl, verraten worden zu sein, die Idee einer Gemeinschaft endgültig begraben zu müssen und vieles mehr. Es war der Abschied von einer Lebensart, das Ende eines entscheidenden Lebensabschnitts und wohl auch die Unsicherheit, was die Zukunft bringen würde. Jedenfalls war der abgrundtiefe Schmerz auch reinigend und setzte wieder neue Kraft frei.

Es war auch die Zeit, in der der Kontakt zu meiner Schwester wieder enger wurde, wir uns als Erwachsene begegneten, uns über unser jeweiliges Leben erzählten und Sonja wissen wollte, wieso ich diesen eigenartigen Lebensweg eingeschlagen hatte. Ich begann ihr lange Briefe zu schreiben, und als ich dann später die Gemeinschaft verlassen hatte, mit Urs in eine kleine Wohnung zog, näher an meinem damaligen Arbeitsplatz, da war sie es, die mir zum Umzug einen Schuhkarton überreichte, in dem sie all diese Briefe gesammelt hatte.
»Ich gebe sie Dir zurück, damit Du sie für Dein Buch verwendest«, sagte sie. Damals wurde die Idee für dieses Buch geboren, doch es sollten noch mal viele Jahre vergehen, bis ich die Idee dann endlich in die Tat umsetzte, Jahre, in denen ich selbst mir erst allmählich klar wurde über all die Zusammenhänge, Jahre, in denen ich diese letzten zwanzig Jahre verarbeitete, Jahre, in denen dann so viel Neues geschah, dass gar keine Zeit blieb, mich dem Schreibprojekt zu widmen, und doch auch Jahre, in denen das Buch Gestalt annahm in mir selbst. Dass ich irgendwann dann ein ganzes Jahr Auszeit nehmen würde vom beruflichen Alltag, dass unsere Eltern dann nicht mehr leben würden, dass ganz andere Menschen in meinem Leben eine Rolle spielen würden, das konnte ich damals noch nicht wissen.

Innerhalb unseres Gemeinschaftslebens gab es keine engen Kontakte zu anderen Erwachsenen. Unser Leben, das war vor allem das Leben von Müttern mit ihren Kindern, das Gerangel um die Gunst des Vaters dieser Kinder; die Außenwelt trat nur in unseren jeweiligen beruflichen Tätigkeiten auf den Plan. Doch andere Kontakte begannen sich anzubahnen, bedingt auch durch das Älterwerden der Kinder.

Für mich war ein ganz entscheidender Schritt nach draußen der Kontakt zu Heide Kraus, die ich kennen gelernt hatte, als ich auf der Suche war nach jemandem, der sich mit Rückführungen in frühere Leben auskennt. Ich hatte viel gelesen zu dem Thema und war überzeugt davon, dass manchmal eigenartige Knoten im jetzigen Leben gelöst werden können durch dieses Aufspüren uralter Verstrickungen. Vor allem hatten mich die Bücher von Thorwald Dethlefsen überzeugt. Natürlich wusste ich um die Eigenartigkeit unserer Lebensweise, spürte auch mehr und mehr die unguten Abhängigkeitsverhältnisse, in denen wir lebten. Und doch hatte ich damals nicht vor, völlig auszubrechen aus unserem selbst geschaffenen System. Was ich wollte war eine andere Klarheit über unsere gegenseitigen Beziehungen. Da ich auch stolz war auf diese andere Lebensart, angefangen hatte, unser exotisches Zuhause anderen Menschen zu präsentieren, mich jedoch dabei sehr bedeckt hielt, wenn es um das Thema der Mann-Frau-Beziehung ging, war ich weiterhin äußerst empfindlich, wenn jemand wagte, Kritik oder Bedenken anzumelden. So weit ging meine Offenheit noch nicht, dass ich mir womöglich hätte eingestehen müssen, woran unser System krankte, dass die Machtverhältnisse und Hierarchien, die sich nach und nach entwickelt hatten, keinesfalls mehr unserer ursprünglichen Idee von einem neuen Miteinander entsprachen.

Ich glaubte also Heide nicht wirklich, als sie nach unserem ersten Gespräch zu mir sagte: »Beruflich ist in Ihrem Leben alles in Ordnung. Aber wenn wir zusammen arbeiten, wird in Ihrem Privatleben kein Stein auf dem anderen bleiben.« Was konnte das bedeuten? Sie würde selbst merken, dass wir eine ganz außerge-

wöhnliche Menschengruppe waren. Zu der Zeit brauchte mein Verstand diese Gewissheit noch, denn ich wollte zwar zu neuen Zielen aufbrechen, nicht aber meine »Familie« verlassen, zumal es Urs' über alles geliebtes Zuhause war.
Auch Margits Besuch in Obernwald fiel in diese Zeit. Sie hatte mir angeboten, sich unser Gehöft mal anzusehen, um mir sagen zu können, wie ich wirtschaftlich umgehen könnte mit all den Schulden, die ich noch hatte, mit all den dringend notwendigen Reparaturen. Sie war es dann auch, die mich fragte, ob ich schon mal daran gedacht hatte, das Haus zu verkaufen. Ich war entsetzt über dieses Ansinnen, fühlte mich völlig missverstanden, wusste doch, dass ich zu solch einem Schritt niemals in der Lage wäre. Doch es dauerte dann gar nicht mehr allzu lange, bis ich genau diesen Weg ging. Es musste nur noch einiges geschehen, bis ich bereit war, mich dieser Realität zu stellen.

Da waren zum einen die sehr tief greifenden Erfahrungen innerhalb der Reinkarnationstherapie, zum anderen und im Grunde eine Folge dieser Art der Vergangenheitsbewältigung meine Bereitschaft, einen anderen Mann in mein Leben zu lassen, der dann auch noch bei seinem ersten Besuch sagte: »Ich wollte Dich besuchen, um mal das Ganze hier zu entmystifizieren.« Und das tat er tatsächlich.
Wie naiv stolperte ich in diese erste Beziehung, nachdem ich zwanzig Jahre lang Hari die absolute Treue gehalten hatte, und wie intensiv erlebte ich all die Schwierigkeiten, die eine Liebesbeziehung auch beinhalten kann. Anscheinend muss man sämtliche Lebensphasen durchlaufen, auch wenn man gelegentlich eine »vergessene« später nachholt. Jedenfalls genoss ich diese verspätete Pubertät, doch da ich bereits erwachsen war, bekam ich die zu bearbeiteten Themen schnell dazu serviert, konnte nun nicht mehr ausweichen vor meinen Lernaufgaben und wollte das auch nicht mehr.
Es war auch die Zeit, in der ich keine Heimlichkeiten in meinem Leben mehr wollte, mich von Anfang an bekannte zu diesem

Mann und damit wohl auch eine Lawine ins Rollen brachte. Nur Hari, der reagierte lässig, als er davon erfuhr, hatte vielleicht längst erwartet, dass das irgendwann geschehen könnte. Stolz verkündete ich ihm eines Tages, da er ja mit seiner Heirat das Ende der Gemeinschaft besiegelt hätte, würde auch ich nun heiraten.

Dir, Mutter, wollte ich damals gerne beweisen, dass ich nun wirklich in ein normales Leben zurückkehren würde, hätte Dir gerne auch einen »Mann an meiner Seite« präsentiert. Das Uralt-Muster, dass eine Frau erst etwas gilt, wenn sie verheiratet ist, schien doch noch irgendwo lebendig in mir zu sein. Also lerntest Du meine »Eroberungen« gelegentlich auch kennen, betrachtetest recht argwöhnisch, wen ich da jeweils mitbrachte. Wie lächerlich mag das klingen für eine erwachsene Frau, die längst ihren Platz als allein erziehende Mutter gefunden und keinerlei Probleme mit dieser Rolle in der Gesellschaft hat. Doch ich will auch das nicht verhehlen vor Dir, jetzt, da die Zeit der absoluten Ehrlichkeit gekommen ist, wir unsere Masken endgültig ablegen können.
Es war weiterhin ein Thema in unserer Familie, ein Thema für Dich vor allem, dass keine Deiner Töchter verheiratet war. Doch auch das durftest Du dann noch erleben, wenige Monate erst ist es her, die Hochzeit Deiner Jüngsten, ein strahlendes Fest und es ist, als habest Du nun all die Dinge, die noch zu tun waren für Dich, endgültig abgeschlossen. Es ist tatsächlich so. Du kannst Dich beruhigt auf Deine weitere Reise begeben.

Dass diese neue Liebesbeziehung dann zeitlich genau zusammenfiel mit den größten Umwälzungen im Leben meines Sohnes und mir wurde mir erst im Nachhinein bewusst. Damals ging ich einfach Schritt für Schritt, schaute nur immer, was als Nächstes zu tun bzw. was überhaupt möglich war. Die Idee, nun mit einem Mann zusammenzuleben war der Auslöser für die Wohnungssuche, wieder mit Hilfe von Margit Jung. Der nächste Schritt war

das Thema, was mit dem Haus geschehen sollte, die gerichtlichen Schritte bis hin zum Verkauf des Hauses und dem Gefühl, zum ersten Mal seit Jahrzehnten schuldenfrei zu sein.
Wie eigenartig die Schicksalsfäden manchmal gesponnen werden sehe ich heute, wenn ich mir vorstelle, dass Hari mich damals in den Anfängen unseres gemeinschaftlichen Zusammenlebens mit genau der Frau bekannt gemacht hatte, die nun die entscheidenden Hinweise gab, den Kontakt zu einem sehr aufgeschlossenen fähigen Anwalt herstellte, mit dem mich bis zu seinem Tod im Alter von 97 Jahren ein freundschaftliches Verhältnis verband. Selbst bereits in hohem Alter nahm er regen Anteil an meiner Geschichte, erinnerte sich selbst an seine Zeit der religiösen Suche, die ihm so manches Abenteuer beschert hatte und unser Gesprächsstoff ging nie aus. Immer waren es bereichernde Begegnungen, und als wir uns das letzte Mal trafen, im November 2005, konnte ich ihm von meinem Lebensbuch berichten, auf das er gespannt war. Für mich ist auch er ein Wesen, das nun »auf der anderen Seite« seine Aufgaben weiterführt.

Es war so eindeutig, dass das Schicksal nur darauf gewartet hatte, dass ich in Bewegung geriet, um mir dann all die Bälle zuzuspielen, die ich brauchte, und zuvor Unmögliches wurde möglich. Was zunächst nicht wirklich möglich war, das war ein versöhnliches Auseinandergehen von uns Erwachsenen. Zu unterschiedlich schienen damals noch unsere Entwicklungsschritte, doch der Zusammenhalt bleibt bestehen über die Kinder, die ihre geschwisterlichen Bande pflegen.

Wir Frauen knüpften da an, wo wir vor Jahren die Verantwortung abgegeben hatten. Das Feld, das wir uns über die jeweilige berufliche Tätigkeit geschaffen hatten und auch die familiären Kontakte waren die Basis, von der wir ausgingen. Zurück blieb eine normale kinderreiche Familie, und die Jüngsten wissen von der ursprünglichen Idee einer großen Lebensgemeinschaft vielleicht gar nichts mehr. Wieder muss ich betonen, dass dies hier meine Geschichte ist und ich somit nur *meine* Version dieser Zeit erzählen kann.

Das heißt, in den folgenden Jahren musste ich mich genau mit meinen Schatten auseinandersetzen. Damals, vor zehn Jahren, glaubte ich, viel zu »wissen«, da mein Weg doch seit Jahrzehnten der der spirituellen Weiterentwicklung war. Mit den äußeren Veränderungen, Wohnungswechsel, später ein neuer Arbeitsplatz, dann neue Beziehungen glaubte ich, diesen Lebensabschnitt des gemeinschaftlichen Lebens abgeschlossen zu haben. Nur meine Träume, die erzählten mir andere Geschichten, denn immer wieder erlebte ich mich in all den Situationen der totalen Überforderung.
Jahrelang musste ich im Traum einen Bus lenken, meistens rückwärts, oft schnell, über hügelige und kurvenreiche Straßen und jedes Mal war mein erstes Gefühl: Aber das kann ich doch gar nicht, und dann: Beim letzten Mal ging es auch gut. Irgendwie ging es auch immer gut, doch das Gefühl in diesen Träumen war die enorme Last, die mit dieser Aufgabe verbunden war. Natürlich hatte ich mich gelegentlich auch mit dem Thema des Träumens beschäftigt, doch so richtig klar wurde mir die Bedeutung des Traumes erst, als ich bei einer Geburtstagsfeier die Autorin des Buches »Träume – Geschenke der Nacht« kennen lernte und ihr diesen Traum erzählte. »Sie scheinen viel Verantwortung für andere getragen zu haben, zu viel ...«, sagte sie lächelnd, als ich ihr erklären wollte, dass das sicherlich mit dem Beruf meines Vaters zusammenhing. Er war ja Busfahrer gewesen, und inzwischen käme der Traum auch nicht wieder. Dass ich keinen Riesenbus mehr auf schwierigsten Wegen rückwärts durch die Gegend chauffieren muss, hat nichts damit zu tun, dass mein Vater, der Busfahrer, nicht mehr lebt. Das weiß ich heute. Der enorme Druck der Verantwortung ist einfach dem gewichen, was meine ganz normalen Aufgaben in diesem Leben, in meiner jetzigen Situation sind: mein Sohn, mein Beruf, meine Weiterentwicklung, meine Liebesbeziehung und der Kon-

takt zu all den so wertvollen Menschen, die zu meinem neuen Leben gehören.

Und dennoch gab es über all die Jahre hinweg andere wiederkehrende Träume, die mich immer wieder in unsere alte Lebenssituation zurückbrachten: Kinder, die zu versorgen waren, Reparaturen, die ausgeführt werden mussten, Unordnung, Chaos um mich herum, keine Zeit, um alles zu tun, kein Geld. Dabei war unser damaliges Leben doch nicht nur Chaos gewesen. So viel Schönes hatten wir erlebt, und es war lange Zeit das Leben, das ich mir für meinen Sohn und mich genauso wünschte.
Heute weiß ich mehr über die Art, wie Träume uns Botschaften vermitteln, und ich erkenne in all den Abgründen, die sich da manchmal in der Nacht auftaten, meine ganz eigenen Schattenwelten, die ans Licht geholt werden wollten. Heute habe ich andere Träume, klarer, lichter, und ich sehe, dass der Abstieg in meine eigene Dunkelheit sich gelohnt hat.

Katharina hatte mir das einmal gesagt, Jahre nach ihrem Ausstieg aus der Gemeinschaft, dass es etwa zehn Jahre gedauert habe, bis sie frei gewesen sei von »Albträumen« von früher. Auch sie war sicherlich durch ihre eigenen Höllenwelten gegangen, hatte sich all das angeschaut, was unter den Teppich gekehrt worden war. Ich glaube, jeder kennt diese Zeiten des »unter den Teppich Kehrens«, bis es da irgendwann modert und stinkt, und genauso wird jeder, der sich auf den Weg macht, die Zeiten kennen, wenn es leichter wird.
Vor kurzem lernte ich bei einem Schreibseminar einen jungen Autor kennen, der von den »Leichen im Keller« sprach, die man hervorholen müsse beim Schreiben. Wie wahr!!
Dass ich diese meine Geschichte dann ausgerechnet meiner Mutter erzählen würde, das weiß ich tatsächlich erst seit dieser unserer Abschlussfahrt, bei der wir eine Nähe erlebten, die sicher immer da war und die wir dennoch nie wirklich leben konnten, so gefangen waren wir in unseren jeweiligen Rollen, all diesen

Persönlichkeitsanteilen, die in unterschiedlicher Ausprägung in den verschiedenen Lebensabschnitten hervortreten.
Doch ich muss mir eingestehen, dass ich das nie geschafft hätte, wenn sie tatsächlich meine reale Zuhörerin gewesen wäre. Dafür waren wir im Leben noch zu gefangen in unseren jeweiligen Rollen – ich, die Tochter , sie, die Mutter.

Meine Eltern und ich, wir haben den Moment erlebt, in dem diese Rollen abgelegt wurden und ich wusste, dass ich diese Geschichte aufschreiben würde, doch ich kann sie erst jetzt erzählen, da ich weiß, dass beide diese Worte verstehen, von anderer Warte aus das erkennen, worum ich stets gerungen habe.

Wie gut kannten wir uns wirklich über all diese angelernten Rollen hinweg? Sicher gibt es immer mal wieder Momente im Leben, in denen nur noch das Sein da ist, jenseits all der angelernten Lebensmuster. Im Lieben erleben wir das und ich weiß so wenig darüber, was Lieben für Dich, Mutter, bedeutete. Schade, dass sich über ein Thema, das so tief eingreift ins Leben, so wenig ausgetauscht wird, zumindest zu unserer Zeit des Aufwachsens, noch dazu in katholischer Umgebung, da bekommt die Thematik des Liebens keinen Raum. In der Kirche, da wird gesprochen davon, doch im Grunde scheint es sich da um etwas ganz anderes zu handeln, jedenfalls keine greifbare Liebe, nicht begreifbar, nicht körperlich vor allem.

Doch jetzt, am Ende Deines Lebens, da scheint auch das Thema Lieben eine ganz andere Gewichtung zu bekommen, da ist es auf einmal spürbar, dass dieses vollkommene Sichhingeben, das Loslassen von allem, sogar vom eigenen Leben, auch Liebe ist, vielleicht ist es überhaupt DIE Liebe?

Das Atemgerät lässt Deinen Körper scheinbar noch ruhig da liegen, doch ich fühle, Du bist schon viel mehr auf der anderen Seite. Es ist eine wohltuende Ruhe um uns, jetzt an diesem letzten Morgen Deines Erdenlebens. Ich möchte mich noch mal frisch machen, möchte all die Erlebnisse der letzten Nacht von mir abwaschen. Die Krankenschwester bietet mir an, hier zu duschen, doch ich ziehe es vor, den kurzen Weg bis zu meinem Zimmer zu gehen, der Bleibe, die ich für diese wenigen Tage Deines Sterbens im Schwesternwohnheim bezogen habe. Vielleicht will die Schwester damit sagen: »Bleiben Sie doch bei Ihrer Mutter.« Vielleicht ahnt sie, dass es die letzten Stunden sein könnten. Sie sagt es nicht, und ich fühle so eine Ruhe in mir, als ich rausgehe an die frische Luft. Ich habe keine Eile, weiß, dass Du gut aufgehoben bist, da, wo Du jetzt bist, und damit meine ich nicht das Krankenzimmer auf der Intensivstation, sondern den Ort, wo Deine Seele schon mehr und mehr ankommt.

Ich dusche, ziehe die Sachen an, die ich gestern, als Urs da war, in der Stadt besorgt habe und habe das Gefühl, als bereite ich mich vor auf diese letzten Stunden mit Dir. Ich rufe noch mal Deine anderen Kinder an, Sonja und Heiner. Wir wissen zu dem Zeitpunkt noch nicht, dass Dein Tod so nah bevorsteht, aber wir wissen, dass Du nicht mehr allzu lange bei uns sein wirst.
Urs wird noch mal kommen, auch wenn seine Vorgesetzten strikt dagegen sind. »Ich fahre zu meiner Oma. Was nützt mir ein freier Tag, wenn sie gestorben ist. Ich möchte sie noch mal sehen, noch mal mit ihr sprechen.« Du kannst stolz sein auf Deinen Enkel, der die Schwierigkeiten in Kauf nimmt, die er bekommen wird, jetzt bei seiner Stelle als Zivi. Er wird zu Dir kommen und auch zu mir, denn er ahnt, dass seine Mutter die schwierigsten Stunden ihres Lebens erlebt, jetzt, da ihre eigene Mutter, mit der sie noch mal verreisen wollte, im Sterben liegt. Auch Heiner wird noch mal kommen und obwohl Du heute Morgen nicht mehr geredet oder reagiert hast, weiß ich, dass Du wartest auf Deinen Sohn.
Sonja will gegen Abend da sein, zusammen mit ihrem Mann, will mich diese Nacht ablösen und als wolltest Du Deiner Jüngsten, die so viel getan hat für Dich, die lange Reise ersparen, schließt Du die

Augen für immer, noch bevor sie von zu Hause aufgebrochen sind. Du hast auch in Deinem Sterben darauf geachtet, dass alles »in Ordnung« bleibt: Ich habe Ferien, konnte in Ruhe bei Dir bleiben. Sonja ist zu Hause, wo sie all das erledigen kann, was nun zu tun ist.

So bist Du am Ende Deiner Lebensreise angelangt. Urs war noch mal da, will sich nun zurückziehen in mein Zimmer, will schlafen, da er die Nacht zuvor kein Auge zugemacht hat. Obwohl zu Hause, war er uns so nah gewesen und hatte innerlich Anteil genommen an dem Abschied, den Du und ich erlebten. Nun zieht er sich zurück, möchte Deinen letzten Atemzug nicht miterleben müssen. Was noch zu sagen war habt Ihr Euch gesagt in der Nacht, als er nicht von Deinem Lager weichen wollte.
Du wachst nicht mehr auf, als Heiner kommt, doch Deine Augenlider zucken, als er Deine Hand nimmt. Wir wissen, dass Du auf ihn gewartet hast. Nun ist alles ruhig und wir können nur still bei Dir sitzen, so lange, bis Du ganz dorthin gehst, wo Du erwartet wirst. Doch wir, die Zurückbleibenden, sind unruhig, wollen noch mal den Arzt sprechen, möchten, dass Dein Frieden nicht mehr gestört wird. »Bitte keine lebensverlängernden Mittel mehr. Sie soll nicht mehr leiden.« Wir wünschen Dir, dass Du Dich ausruhen kannst von einem oft mühsamen Erdenleben. Doch die Mittel, die Dein Körper noch bekommt, sprechen bereits nicht mehr an, sagt uns der Arzt, den wir auf dem Flur treffen. Du wirst friedlich einschlafen dürfen und wir wünschen es Dir von Herzen.

Und da kommt Anna zur Tür »Ich glaub' sie atmet nicht mehr. Sie wurde auf einmal unruhig, als Ihr auf dem Flur wart. Da hab' ich ihre Hände genommen und mit ihr ein Vaterunser gebetet.« Ja, es ist wirklich gut so wie es ist, als letzte Geste auch noch ein Gebet mit Deiner »ungläubigen« Schwiegertochter und alles, was ich zu Dir unter Tränen sagen kann, ist »Mutter, Du hast es geschafft.«

Als Urs später ins Krankenhaus kommt, um seine Oma noch mal zu sehen, die in einem Extra-Raum aufgebahrt liegt, liebevoll zurecht-

gemacht, da sind wir beide tief ergriffen von der Atmosphäre im Raum, als ginge ein Strahlen von der Toten aus.
»Die Oma sieht aus wie eine Königin«, sagt Urs und alles, was ich fühle in diesem Moment ist unendliche Dankbarkeit, während ich Dich erkenne als das, was Du unter all Deinen Rollen immer warst: Meine Mutter, eine ganz große Seele!!

Bei Mutters Beerdigung dann, am folgenden Montag in der überfüllten Dorfkirche, bin ich tief berührt von den wunderbaren Worten, die der noch junge Pfarrer über unsere Mutter sagt. Er spricht hauptsächlich von dem Lebensabschnitt, der ihr noch mal eine ganz neue Lebensaufgabe bescherte: Reiseleiterin war sie geworden, begleitete Vater auf vielen seiner Reisen, hatte sich ein umfassendes Wissen angeeignet über all die Gegenden in den unterschiedlichsten europäischen Ländern und das, was der Pfarrer als ihren besonderen Verdienst hervorhob, das empfand ich plötzlich wie Worte zu meinem eigenen Leben: Die Fähigkeit, Menschen zu führen, ihnen Wissen zu vermitteln, ihnen außerhalb ihres Alltags zu begegnen, wo sie offen sind für Neues.
Dieses tiefe Bedürfnis in mir, Menschen zusammenzubringen, ihre Herzen und Gedanken für Neues zu öffnen, sie in ihrem Wesen anzusprechen, all das scheinen die Anlagen zu sein, die meine Mutter mir mit auf den Weg gegeben hat und die ich nun weiterentwickeln würde. Und war es nicht auch genau das Jahr, in dem ich meine erste kleine Reisegruppe nach Venezuela geführt hatte? Ich saß in der Kirchenbank und tiefe Dankbarkeit erfüllte mich ...

Meine Eltern leben nicht mehr in unserer Welt. Sie, die ich mir ausgesucht hatte für diesen meinen Weg, begleiten uns nun auf andere Weise, sind so präsent in ihrem Weggehen und ich erlebe mehr und mehr, wie ihre Kinder das vorgegebene Lebensmuster weiterstricken, es mit ganz neuen Inhalten füllen, bei jedem auf ganz eigene Weise und das Wunderbare ist, dass wir Anteil nehmen, nun als Erwachsene, am Leben der anderen, dass wir die gemeinsame Basis dankbar annehmen können für unseren weiteren Weg.

4
Mein Vater

Ich will nun zum Abschluss von meinen Vater schreiben, von ihm, der mir eigentlich stets näher stand als Mutter, zu dem ich mich emotional mehr hingezogen fühlte und – wie Sonja sagt – dessen Lieblingstochter ich war. Ich habe ihn nicht vergessen, ihn, der so lautlos sich aus meinem Leben verabschiedete, er ist mir nahe geblieben und ich denke heute, er musste von beiden als Erster gehen, damit wir Mutter noch anders kennen lernen konnten. Etwas mehr als vier Jahre lebte sie noch nach seinem Tod, vier Jahre, in denen sie alles regelte, was zu regeln war, in denen sie uns, ihren drei Kindern, schon allein durch ihre Hilfsbedürftigkeit aufgrund ihrer Krankheiten noch mal viel näher kam. Nein, ich habe Vater nicht vergessen, doch die Schatten, die ich in mir aufzulösen hatte, schienen viel mit Mutter zusammenzuhängen.

Doch da gab es auch etwas, was erst durch Vaters Tod frei wurde in mir. Es war Hermann, dem ich davon erzählte, damals, einige Wochen nach Vaters Tod, als ich erstmals eine Busreise nur mit Mutter machte, nach Südtirol, dahin, wo sie in jenem Jahr ihre Goldene Hochzeit feiern wollten. Mutter hatte sich das so schön ausgemalt, sich darauf gefreut, ihrer weit verzweigten Familie diesen Ort, den Vater und sie gerne als ihre zweite Heimat bezeichneten, zu zeigen, hatte die Busreise mit der ganzen Verwandtschaft bereits im Geiste organisiert. Nur Vater verhielt sich zurückhaltend, so als ahnte er bereits, dass dieses Fest nie mehr stattfinden würde.

Ich erzählte Hermann von diesem Gefühl, als sei nun mit Vaters Tod zum ersten Mal der Platz für einen Mann in meinem Herzen frei geworden, als könne erst jetzt ein anderer Mann, ein wirklicher Liebespartner diesen Platz einnehmen. Und Hermann, dessen Mutter vor nicht allzu langer Zeit gestorben war, die er begleitet hatte in den Tod, er verstand genau, was ich damit meinte. Es gab zu dieser Zeit keinen »Mann an meiner Seite«. Ich war wieder neu verliebt, doch das kannte ich nun schon, ahnte noch nicht, dass dieser Mann, der schon so lange in meiner Nähe war, mein zukünftiger Partner sein würde.

Wir saßen da oben in Telfes, hatten eine lange Wanderung unternommen, blickten über dieses wunderbare Land, umarmten uns und Hermann meinte, er sei dankbar, dass er derjenige wäre, der einen Blick werfen dürfe auf diesen freien Platz in meinem Herzen. Und so ist es geblieben zwischen uns und wird immer so bleiben: Eine tiefe Herzensverbindung, eine uralte Seelenverwandtschaft und egal wie lange die Zwischenräume sind, in denen wir uns nicht sehen, können wir immer genau da anknüpfen, wo wir uns zuletzt voneinander verabschiedet haben. Unsere Leben laufen in unterschiedlichen Bahnen, wir wissen nicht viel von dem jeweiligen Alltag des anderen, haben gar nicht das Bedürfnis, alles zu wissen. Was bleibt ist diese wertvolle Begegnung, dieses Bewusstsein, den anderen im Innersten zu berühren, wenn wir uns wieder sehen. Und obwohl wir uns schon vor zwölf Jahren zum ersten Mal begegnet waren, erlebten wir erst jetzt diese Nähe.

An was ich mich erinnere bei dieser unserer ersten Begegnung, das war diese Unsicherheit in mir. Da war ein Mann, der mich anlächelte, mit offenem Blick, und ich merkte auf einmal, wie eingeengt ich in meiner Welt lebte, wie wenig ich mit der »Welt da draußen« umgehen konnte. Vielleicht war da auch schon diese Ahnung, dass es irgendwann anders wäre.

Als ich zum zweiten Mal in Südtirol war, zusammen mit drei Kindern, da war ich vorwiegend mit ihnen beschäftigt und mit dem Versuch, Mutters Unmut abzumildern, Unmut darüber, dass ich mich wieder einmal nicht an die Abmachung gehalten hatte, statt mit zwei eben mit drei Kindern angereist war.

Das war die Zeit, als unsere Eltern einmal ihre Kinder mit den jeweiligen Familien in Südtirol versammeln wollten. Das war 1992, das Jahr, in dem ich meine erste große Radtour mit vier Kindern unternahm, meine Eltern mehr und mehr teilnehmen ließ an meinem Leben, ihnen von diesem Sommerurlaub erzählte aus dem Bedürfnis heraus, ihnen zu zeigen, wie gut es Urs und mir ging in unserem abenteuerlichen Leben.
Vater hatte im Alter von 70 Jahren endgültig aufgehört Bus zu fahren, und nun waren sie für drei Wochen in ihrem Lieblingshotel und hatten genau geplant, wer wann kommen würde. Irgendwie hatten wir es bewerkstelligt, auch wenn jeder von uns in seiner ganz eigenen angespannten Lebenssituation steckte, wie wir später erkannten. Unsere Eltern wussten nichts davon bzw. es zählte nicht wirklich. Was zählte, das war unser Kommen. So war es stets gewesen zwischen uns: Was nicht stimmte, was unsere Seelen vielleicht belastete, das kam unter den berühmten, langsam vor sich hin modernden Teppich. So hatten sie es selbst gelebt und erlebt in ihren jeweiligen Familien und ihre Eltern wiederum in ihren. Die Zeit war noch nicht reif damals.
Doch wir kamen nicht mehr darum herum, versuchten erst mal den Spagat zwischen dem, was wir selbst erfahren hatten, dem Versteckspiel, wenn etwas nicht in das System passte und dem, was wir selbst an Wahrheit leben wollten, ein Spagat, den unsere Kinder hoffentlich nicht mehr brauchen.

Ich kam dann eben mit drei Kindern. Es war eine schöne Reise, ich fühlte mich wohl mit meinen »Rabauken« und empfand uns als wohltuend »anders«, genoss diese so wohlbekannte Distanz zum Rest der Welt. Von Hermann bleibt mir aus dieser Zeit nur dieses schöne Foto, das die Kinder von ihm in der Küche machten, zusammen mit dem Koch. Dieses Foto war für mich auch der Anlass, ihm später ein paar Zeilen zu schreiben.

Und dann lagen viele Jahre dazwischen, bis ich 1999, zusammen mit Mutter, Vater und Sonja nach Südtirol reiste, wo wir das Fest der Goldenen Hochzeit besprechen wollten. Nur für eine Übernachtung blieben wir, und es war das letzte Mal, dass Hermann meinen Vater sah. Sie hatten sich stets gut verstanden und manchmal, wenn Vater von Hermann und Erika gesprochen hatte, war es für mich, als spräche er von Heiner und Ursel, so viel Nähe war da zu spüren.
Liebevoll strich Erika, Hermanns Frau, Vater morgens über die Schulter, denn er hatte große Schmerzen, wenige Tage vor seinem endgültigen Zusammenbruch. Ich spürte den Abschied, der in Erikas Geste lag, genauso noch mal drei Jahre später, bei Mutters letztem Besuch, von dem es als Erinnerung dieses schöne Foto von den beiden gibt. Erika, die selbst schon seit ihrer Kindheit an einer unheilbaren Gelenkkrankheit litt, deren tiefe Spiritualität sich im Tun für ihre Mitmenschen ausdrückte, sie schien zu wissen, wann der Abschied gekommen war und sie ahnte vielleicht auch, dass sie meinen Eltern bald nachfolgen würde, so wie es nun geschehen ist.
So besteht die Verbindung zwischen Hermann und mir auch in unseren Gesprächen über den Tod naher Menschen, in unserem Gleichklang in der Liebe zur Natur, unserem Bedürfnis, über das eigene Empfinden zu reden und zu merken, wie schön es ist, sich als verwandte Seelen zu erkennen.

Doch ich wollte von Vater reden, Vater, bei dem ich zum ersten Mal erlebte, wie im Tod die Liebe sich offenbart, wie nahe man einem Menschen gerade dann sein kann, wenn seine Lebenszeit sich dem Ende zu neigt. Ich war nicht da, als er starb. Ich war mit einer Schülergruppe in Südfrankreich. Doch ich hatte ihn kurze Zeit davor erlebt, hatte eine solch tiefe Zärtlichkeit gespürt zu dem Mann, der innerhalb kürzester Zeit alt geworden war. Dabei war Vater über all die Jahre irgendwie stets jung geblieben, vielleicht auch zeitlos, obwohl er schon mit jungen Jahren eine Glatze hatte, wir ihn nur so gekannt hatten.

Wie hatte ich die Momente geliebt, abends, wenn er am Tisch saß und ich als kleines Mädchen, bewaffnet mit Kamm und Bürste, auf seine Stuhllehne krabbelte, um dann die wenigen Haare in verschiedenen Frisurkombinationen anzuordnen.
Vater, das war für uns als Kinder auch immer der Spielkamerad, manchmal zum Ärger meiner Mutter, die ihm erzählte, was wir wieder alles »angestellt« hatten, die sich überfordert fühlte und auf seinen Beistand hoffte. Doch er meinte stets: »Ich kann sie doch nicht jetzt, wo sie lieb sind, für etwas bestrafen, was Stunden zurückliegt.« Vater war immer auf unserer Seite, ein Verbündeter in der knapp bemessenen Freizeit, die wir mit ihm hatten. Doch das änderte sich, als wir älter wurden. Ganz unmerklich hatte sich diese unangenehme Scheu eingeschlichen, die vor allem ich als heranwachsendes Mädchen spürte, und ich begann, die wohltuende kindliche Nähe zu meinem Vater schmerzhaft zu vermissen, suchte sie dann irgendwann in meinen Liebesbeziehungen, ein Muster, das ich mir lange nicht eingestehen wollte, obwohl doch offensichtlich war, dass der Vater meines Sohnes, 17 Jahre älter als ich, für mich selbst auch eine Art Vaterersatz war.

Wie anders war dann alles geworden bei meinen letzten Begegnungen mit Vater! Von einem Tag auf den anderen, direkt nach unserer Südtirol-Tour, war Vater nahezu vollständig gelähmt, vom Brustkorb abwärts, verursacht durch ein Gewächs an der Wirbelsäule, wie man später feststellte. Als ich einmal ins Krankenhaus kam, hatte man ihn im Rollstuhl ans Fenster geschoben und so fand ich ihn, wie abgeschoben, und ich fühlte eine solche Zärtlichkeit für ihn, wollte nur noch bei ihm sitzen, seine Hand halten, einfach bei ihm sein. Erst jetzt war es wieder möglich, diese Nähe zu zeigen. Als wir später im Zimmer waren, Vater eingeschlafen schien, ärgerte es mich, dass der Mann, der im gleichen Zimmer lag, ständig mit mir reden wollte, sich irgendwie wichtig machte, obwohl er selbst Besuch hatte, also versorgt war. Er tat so, als lohne es nicht mehr, sich meinem Vater zuzuwenden, erzählte mir von der Nacht, die wohl sehr schlimm gewesen war für Vater. Es ärgerte mich auch, dass der andere Mann, obwohl er älter war als Vater, jünger aussah. Auch bei Mutter hatte ich Jahre später dieses eigenartige Empfinden, dass ich nicht wollte, dass andere sie als alt, als krank, als sterbenskrank sogar, erlebten. Für mich waren meine Eltern immer jung geblieben und erst zum Lebensende hin musste ich mir eingestehen, dass man ihnen ansah, dass ihre Lebensenergie aufgebraucht war.

Ich glaubte, Vater schlafe noch, da schlug er plötzlich die Augen auf und sagte ganz vorwurfsvoll: »Was redet der da drüben dauernd mit dir! Rede doch mit mir.« So kannte ich Vater nun wirklich nicht, so fordernd, doch ich freute mich über diesen eindeutig geäußerten Wunsch, denn Vater war in unserem Leben meist eher im Hintergrund geblieben. Ich würde mich nur noch ihm zuwenden, ihm auch die Füße massieren. Vielleicht würde es doch etwas nützen, auch wenn er nichts empfinden konnte. Ich wollte so viel Nähe wie möglich mit ihm erleben.
Auch Vater hatte sich die Ferien, meine Sommerferien, zum Abschiednehmen »ausgesucht«. Als die Schule wieder begann, glaubten wir, es ginge ihm besser. Vater war nach Hause gekommen, wo alles zu seiner Versorgung eingerichtet und organisiert war. Doch es war nur eine kurze Zeit, die Zeit, um Abschied zu nehmen, denn alle kamen in den folgenden Tagen: Kinder, Enkelkinder, Verwandte, ehemalige Kollegen, Bekannte und es war, als bekäme er nun noch mal alle Zuwendung, die ihm gebührte. Ich brauchte meine Klassenfahrt nicht abzusagen, ahnte nicht, dass es Vaters letzte Tage sein würden.

Im Nachhinein sehe ich den Tag der Sonnenfinsternis, den 11. August 1999, als meinen eigentlichen Abschied von Vater. Ich habe ihn danach noch mal gesehen, als es ihm zu Hause anscheinend wieder besser ging, doch dieser 11. August, der ist mir als ganz besonderer Tag des Abschieds in Erinnerung. Urs und ich waren schon am Tag davor in die Südpfalz gefahren, zum Glück, wie wir dann am folgenden Tag feststellten, denn sämtliche Straßen waren verstopft, da alle Welt unterwegs zu sein schien, um die totale Sonnenfinsternis mitzuerleben.
Urs und ich waren also mit Mutter zu Hause im Hof, als der Himmel sich verdunkelte und die Welt für einige Sekunden den Atem anzuhalten schien. Mutter meinte, es sei »wie der Hauch des Todes« für sie gewesen, und als ich dann losfuhr in Richtung Karlsruhe, schien die Welt wieder zum Leben zu erwachen. All die Menschen, die sich an Wegen, auf den Feldern und Wiesen niedergelassen hatten, tauchten nun auf. Es war so still gewesen, und nun wunderte ich mich über all die Bewegung, den Lärm und ganz besonders wunderte ich mich, als ich ins Krankenhaus kam und mir klar wurde, dass Vater von der Sonnenfinsternis überhaupt nichts mitbekommen hatte, gar kein wirkliches Interesse zeigte. Da war mir klar, dass er mit einem Teil seines Wesens sich schon woanders befand, zumindest in der Nacht woanders gewesen war, denn er erzählte unaufhörlich von all den Stimmen und Gestalten, die er gehört und gesehen hatte. Er war in der Nacht, geschwächt durch die intensiven Bestrahlungen, die er kurzfristig bekam, ganz bei den anderen gewesen, bei seinen Eltern, dem Bruder, all denen, die schon lange gegangen waren und er sah sie auch am Tag noch, als Gestalten an der Wand. Ich stritt es nicht ab, wusste, dass er bereits in jenseitige Welten geblickt hatte.

Und dann gab es auch noch diesen ganz anderen Abschied, als ich einen Tag nach Vaters Tod mit dem Flugzeug aus Nizza zurück nach Frankfurt flog und froh war, keinen Sitznachbarn zu haben. Ich weinte still vor mich hin, war untröstlich über Vaters Tod und schaute aus dem kleinen Fenster in die Wolken. Und da war es, als sei Vater da draußen, eine wunderbare tröstliche Präsenz, eine solch intensive Begegnung, dass ich noch heute voller Liebe daran denke. Vater war gekommen, um sich noch einmal von mir zu verabschieden, tröstete mich und versicherte mir, dass alles gut war. Das war dann der eigentliche Abschied. Nun konnte ich das andere, das Begräbnis, die Trauerfeier, das anschließende Verwandtentreffen gefasst erleben. Zwei Wochen später wäre die Goldene Hochzeit gewesen.

Mit Vater hatte ich auch im Leben einen solchen Moment erlebt, in dem die Rollen abfallen von einem, ein richtiges Gipfelerlebnis. Es war bei einer unserer Fahrten, die ich so sehr liebte, weil ich seinen Stolz genoss, wenn ich zum Beispiel meine Fremdsprachenkenntnisse einsetzen durfte. Ich liebte es, mit ihm unterwegs zu sein und die Distanz, die sich mit dem Älterwerden zwischen uns aufbaute, verringerte sich bei solchen Reisen.

Es war irgendwo in Österreich. Wir machten nach dem Abendessen noch einen Spaziergang. Keiner wollte mehr mit, so gingen wir los, nur wir beide und bei jeder Kehre waren wir uns einig, dass wir noch nicht umkehren würden. Irgendwann, es dämmerte bereits, waren wir an einem Gipfel angekommen und die Zeit schien still zu stehen. Das war einer dieser ganz besonderen Momente, in dem es nur dieses Sein gibt, ein Augenblick, der so unbeschreiblich ist und von dem man dennoch weiß, dass es sich genau dafür lohnt zu leben.

Wir waren uns so nahe, als wir von da oben aus über das Land schauten, doch keiner hätte gewagt, darüber zu sprechen. Es war auch nicht nötig. Wir wussten, dass wir beide den Moment tief in unserem Herzen bewahren würden und der einzige Mensch, dem ich je davon erzählte, das war Hermann, denn der Augenblick mit ihm, damals hoch oben, mit Blick über das schöne Tal, rief ähnliche Empfindungen in mir hervor und ich erinnerte mich.

Und nun endlich konnte ich darüber sprechen und konnte erleben, was es heißt, solche Erlebnisse nicht nur fühlend miteinander zu teilen, sondern sie sich auch gegenseitig mitzuteilen.

Nach Vaters Tod war es mir ein Bedürfnis, Hari anzurufen. Es war das erste Mal seit unserem Weggang, dass wir miteinander sprachen und es war ein wohltuendes Gespräch, frei von irgendwelchen Schuldzuweisungen. Genauso dann, einige Wochen später, an meinem 46. Geburtstag, als mich Sieglinde wie so oft anrief, um mir zu gratulieren und er ans Telefon kam. Dass es unser letztes Gespräch sein würde, ich Hari in diesem Leben nie wieder sehen würde, konnte ich da noch nicht ahnen. Er starb ganz überraschend nur einen Monat später, kurz vor Weihnachten

5
Ich lasse los

Meine Auszeit geht zu Ende: ein Jahr Ausstieg aus dem beruflichen Alltag. Ein Jahr, in dem ich noch mal eintauchte in all das Vergangene; ein Jahr, in dem ich zuweilen die vergangenen Erlebnisse so hautnah wieder erlebte, dass ich mich oft auch aus privaten Kontakten zurückzog, unendlich viel Zeit brauchte für mich selbst, etwas, das ich mir nun erstmals in meinem Leben gönnte: Zeit für mich.
Und doch war das Jahr auch angefüllt mit so vielen neuen Erfahrungen, die mir halfen, durch all diese Schattenbereiche zu wandern. Zuerst dieser wunderbare Erdenfleck in Venezuela, wo ich in paradiesischer Umgebung bei ganz liebenswerten Menschen anfing mit diesem meinem Lebensbuch, dann nach drei Monaten heimreiste, im Gepäck hunderte handgeschriebener Seiten, um dann am Computer das Ganze in die Endfassung zu bringen, die natürlich wieder ganz anders aussieht als der Rohentwurf. Dann die Überraschung: Noch mal würde ich »ins Paradies« fliegen, diesmal sogar mit dem »Mann an meiner Seite«.
Monate später dann dieser wunderbare Urlaub im Engadin, zusammen mit den einzigen Verwandten von Hari, zu denen ich Kontakt habe, dann das Wiedersehen mit Hermann in Südtirol, unsere Gespräche über all die Veränderungen, die in seinem Leben durch den Tod seiner Frau gerade stattfinden.

Eine wunderbar reiche Zeit, in der ich all diese vergangenen zehn Jahre noch mal erlebe wie Perlen, die sich auf einer Schnur aneinander reihen und ich bin erstaunt, wie sich alles ineinander fügt, nachdem ich doch auch Zeiten erlebt habe, in denen sich nichts zu bewegen schien.

Da war dieser erste Schritt, sicherlich der schwerste: unser Auszug aus Obernwald, der Einzug in eine kleine Mietwohnung. Wir verließen den Ort, an dem mein Sohn aufgewachsen war, wo er alle Freiheiten einer abenteuerlichen Kindheit erleben konnte, oft im Kreis seiner vielen Halbgeschwister. Fernsehen gab es damals nicht bei uns, dafür jede Menge Möglichkeiten, in freier Natur Wald und Wiesen zu erkunden, beim Bauer auf dem Traktor mitzufahren, auch mal Kirschen oder Äpfel zu klauen. Die Kinder lebten vorwiegend draußen und die Vorstellung, in eine kleine Wohnung eingesperrt zu sein, war erst mal schrecklich für Urs.

Ich konnte das nachvollziehen, denn ich selbst hatte das erlebt als Kind, als ich mit Bruder und Eltern bei einer Tante zu Besuch war. Sie lebte in der Stadt, in einer Mietwohnung in einem Wohnblock. Ich kannte das nicht, wusste nicht, dass man auch so leben kann. Für mich bedeutete Zuhause eben das Haus, der Hof, der große Garten, die Dorfstraße, die Wiesen mit Bach, Feldern, der Wald. Und irgendwann fragte ich Mutter, wann wir denn nun endlich dahin gehen, wo die Tante »richtig« wohnt. Dabei saßen wir längst am Kaffeetisch im Wohnzimmer, und meine Frage wurde erst mal nicht verstanden.

Urs war inzwischen 13 Jahre alt und hatte natürlich auch andere Arten des Wohnens kennen gelernt. Doch er selbst in einer Wohnung leben, nur zusammen mit seiner Mutter, nein, das konnte er sich nicht vorstellen.
In der letzten Nacht vor unserem Auszug weinte er sich in den Schlaf und ich versuchte, ihn zu trösten, fühlte mich hilflos und wusste doch, dass es der richtige Zeitpunkt war, wir so nicht wei-

terleben konnten. Als er schlief, ging ich selbst in mein Zimmer, um dort zu weinen.
Eine Bekannte, der ich das später mal erzählte, fragte, warum ich meinen Schmerz meinem Kind nicht gezeigt habe. Ich war so überrascht, und erst da fiel mir auf, wie sehr ich immer darauf bedacht gewesen war, meine Sorgen, meinen Schmerz vor meinem Kind zu verbergen, anstatt gemeinsam durch unsere Trauer zu gehen. Auch das ist sicherlich ein Verhalten, das Eltern nur allzu bekannt ist, als hätten unsere Kinder nicht ohnehin Antennen für all die Zwischentöne. Es gehört wiederum zu diesen alten Mustern, dass wir unsere innersten Gefühle nie nach außen tragen dürfen. Unter den Teppich damit oder, wenn sie schon raus müssen, dann aber heimlich, damit niemand etwas merkt, keiner die eigene Schwäche wahrnimmt.

Es war immer normal gewesen für mich als Kind, meine Tränen heimlich zu weinen, zumindest später, als Großmutter nicht mehr lebte, als eben niemand da war, der einen trösten konnte. Sicherlich ist das ein schweres Vermächtnis, das unsere Eltern, die aufgrund der damaligen Kriegszeiten nicht Kind sein durften, keine wirkliche Jugend hatten, uns weitergereicht haben. Zum Glück lernte ich anders damit umzugehen, denn all diese Verhaltensweisen setzen sich ja fort in all den anderen Beziehungen, die man lebt, vor allem den Liebesbeziehungen.

Der Umzug war keine große Sache, denn zum einen hatte ich bereits einiges in unsere neue Wohnung transportiert, zum anderen besaßen wir nicht allzu viel. Wir reisten »mit leichtem Gepäck«, brauchten weder Umzugswagen noch -helfer. So recht glaubte wohl keiner, dass wir nicht mehr wiederkämen, ähnlich wie damals bei Katharina. Nun zogen wir ganz offiziell aus und ich hatte keinerlei Zweifel daran gelassen, dass zumindest für mich das gemeinschaftliche Leben beendet war. Bei Urs war das eine andere Sache. Er würde mit mir mitkommen, doch es stand

ihm jederzeit frei, seinen Vater und seine Geschwister zu besuchen, auch unser Haus, solange die Besitzverhältnisse noch nicht geklärt waren. Ohnehin lebten damals nur noch zwei Frauen dort, zusammen mit einem Kind, doch für alle anderen von Haris Kindern blieb es »unser« Haus, ein Thema, das erst auf Distanz, und zwar räumliche Distanz zu lösen war.
Neue Energien waren in unser Leben gekommen durch die Öffnung nach außen, doch so lange nicht die räumliche Trennung dazu kam, wäre der nächste Schritt unmöglich. Das wusste ich, und auch Urs schien das zu verstehen.

Er verbrachte in der nächsten Zeit die Wochenenden häufig bei seinen Geschwistern, den Alltag teilte er mit mir und gewöhnte sich wunderbar schnell an die neue Umgebung, die neue Schule. Nur die Mitschüler, die blieben ihm noch eine Weile fremd. Er war ein ganz anderes Leben gewöhnt und hatte kein Bedürfnis, am Nachmittag in der Wohnung am Computer zu sitzen. Doch auch wenn ich zuweilen das Gefühl gehabt hatte, diesen Schritt des Weggehens zu lange hinausgezögert zu haben, so empfand ich es nun doch als genau den rechten Zeitpunkt, den Beginn eines neuen Lebensabschnittes für uns beide, der sowohl für ihn als auch für mich, die ich nun zu neuen Ufern aufbrach, passte. Die Ablösung erfolgte dann nach und nach. Die Sterne standen günstig und der Kosmos meinte es gut mit uns. Allmählich lösten sich all die unklaren Verstrickungen, in die mein eigener Lebensweg verheddert zu sein schien. Ich war bereit, Hilfe anzunehmen, wollte Offenheit und erkannte mehr und mehr, wie hinderlich all die Heimlichkeiten sind auf dem Weg der eigenen Entwicklung.

Natürlich war ich damit nicht der Aufgabe enthoben, all diese meine Lebensthemen anzusehen. Im Gegenteil, ich bekam sie nun in abgewandelter Form präsentiert, so wie es mir Heide Kraus vorausgesagt hatte. Immer wieder tauchten sie auf, diese Gurus, diesmal in weiblicher Form, die mir zwar halfen, aber auch das

Ruder gerne in die Hand nehmen wollten. Es war nicht deren Schuld, ich selbst zog sie ja an wie die Motten das Licht, und dabei fühlte ich mich längst nicht mehr als das kleine verunsicherte Mädchen, das bei der Hand genommen werden möchte. Doch ich erkannte auch, dass nur ich diese Verhaltensweisen ändern kann, indem ich selbst mich anders verhalte, klare Grenzen aufzeige. Das betraf natürlich auch mein Verhalten Mutter gegenüber. Da war ich ja ausgewichen, damals, vor mehr als zwei Jahrzehnten, hatte mich nicht mehr auseinandergesetzt und stattdessen eine Lebensform gewählt, in der das Alte keinen Platz mehr hatte. Doch die Muster, die sind ja in mir angelegt, denen kann ich nicht entfliehen, mit denen muss ich mich schon auseinandersetzen, mit all diesen Anteilen meiner Persönlichkeit oder auch meiner Seele.

Da mein berufliches Leben problemlos weiterlief, ich sogar nach einem Jahr auf meinen Wunsch hin eine Stelle direkt in unserer Stadt bekam und ich ohnehin daran gewohnt war, vieles andere nebenher zu machen, entschloss ich mich für eine Zusatzausbildung in »Ganzheitlicher Psychologie« und war oft an Wochenenden und in den Ferien unterwegs.
Das war die Zeit, in der ich Mutters Vorwürfe dann wieder massiv zu hören bekam, die sicherlich vor allem in ihrer Angst wurzelten, dass ich jetzt, da ich in ein »normales« Leben zurückgekehrt war, wieder auf verrückte Ideen kommen könnte. Ich lernte, zu mir zu stehen, auch mit Hilfe meines Sohnes, der nicht verstehen wollte, dass die Oma nicht wissen darf, dass ich wieder unterwegs bin. Er war es auch, der ihr dann irgendwann von dem geplanten Sabbatjahr erzählte und ihr sagte, dass wir uns die große Wohnung nicht mehr leisten können. Das alarmierte sie ganz besonders und ich bekam noch mal alle ihre Existenzängste zu spüren, Ängste, die ich natürlich durch meinen Lebensweg mitgenährt hatte. Es war die Zeit, in der ich sie öfter bat um ihr Vertrauen und auch teilweise auf Gehör stieß.

Wie viele andere Töchter kämpfte ich gegen eine übermächtige Mutter um meinen eigenen Standpunkt. Doch es war nicht wirklich ein Kampf, vielmehr die kindliche Sehnsucht nach Anerkennung und Liebe, die oft noch solch eigenartige Formen im Leben Erwachsener annehmen kann. Ohne den spirituellen Weg, der mein Leben ausmacht, hätte ich sicherlich nie durchdringen können zu dieser Nähe, die jenseits all unserer eingespielten Rollen immer existiert zwischen Eltern und Kindern, genauso wie zwischen Liebespartnern, bei denen leider allzu oft all die unerlösten Dramen die Beziehung belasten.

Manchmal blicke ich verwundert zurück auf diese letzten zehn Jahre und bin überrascht, wie sehr mein Leben dem entspricht, was ich mir von Herzen wünschte. Natürlich hätte ich mir nie genau diese Realität vorstellen können, doch der Ausspruch, dass man sich seine eigene Wirklichkeit erschafft, hat sich für mich bewahrheitet, zumal ich die Themen, die noch nicht im Einklang mit meinem eigenen Selbst sind, nun viel klarer als Lernaufgaben erkenne. Wir werden genau an die Dinge herangeführt, die wir brauchen zur Weiterentwicklung und auch in scheinbar ausweglosen Situationen bekommen wir immer Hinweise, wie die Lösungsschritte aussehen könnten. Leider erkennen wir diese Hinweise oft erst im Nachhinein und brauchen erst mal kräftige Hiebe wie Schicksals-Schläge oder einfach Krankheiten, die nur dazu da sind, um uns wach zu rütteln, uns zur Aktion zu bewegen, zu Entscheidungen zu zwingen. Meine Wachrüttler waren andere, in erster Linie der Blick zurück, nach innen, in uralte Muster, in frühere Leben.

Vor zehn Jahren ging für mich eine Art zu leben zu Ende, die ich bis dahin eher im Geheimen praktiziert hatte. Eine gewisse Exotik, die Vorstellung, anders zu sein, etwas Ungewöhnliches

zu leben, das ließ ich gerne gelten. Doch mich selbst zu hinterfragen in dieser Lebensart, das dauerte seine Zeit. Da musste erst mal der Schutt weggeräumt, die äußeren Bedingungen verändert, eine neue Lebensgrundlage geschaffen werden.
Ich wollte »nur« Neues lernen, als ich dann die Zusatzausbildung begann und wurde schonungslos an all meine Verstecke geführt, lernte, zu meiner Wahrheit zu stehen und bekam ein Gefühl dafür, was es heißt »ins Detail« zu gehen. Spiritualität hat nichts damit zu tun, den Kopf in den Sand zu stecken, sondern dem Licht standzuhalten, sich durchleuchten zu lassen, um nicht die Nähe zu unseren Liebsten ständig mit all den unerlösten Themen und Blockaden zu belasten oder diese sogar als Erbe an die nächste Generation weiterzugeben.

Natürlich gibt es auch die Zeiten, in denen man sich wünscht, ganz einfach seine Rolle im normalen Leben spielen zu dürfen, nicht so empfindlich zu sein. Denn das wird man erst mal in dieser Übergangszeit zu etwas Neuem, extrem empfindlich und sicherlich manchmal schwer aushaltbar für unsere Lieben, die mit uns leben wollen und nicht ständig alles problematisieren möchten.

Viele Menschen sind seither in mein Leben getreten und haben mich ermutigt, mein Buchvorhaben auch tatsächlich umzusetzen. Andere Lebensgeschichten bestärkten mich ebenfalls in der Idee, dies alles aufzuschreiben, denn so unterschiedlich sind die Themen gar nicht, wenn wir die einzelnen Entwicklungsstufen auf dem Weg zum eigenen Selbst betrachten, auch wenn die äußere Realität sich in unterschiedlichsten Formen präsentieren kann.

Dann gab es all die Bücher, dir mir jeweils zum rechten Zeitpunkt in die Hände fielen und die mich zum Weiterschreiben anregten, denn ich fühlte mich aufgehoben im großen Kreis der Suchenden und weiß, dass jede Geschichte ein weiterer Faden sein kann im großen Gewebe erwachenden Bewusstseins. Wie so viele andere Menschen bin ich der Überzeugung, dass wir auf einem ganz besonderen Weg sind, dem Weg des Herzens und dass all die Katastrophen, all der Irrsinn, der in unserer Zeit auf dem Planeten Erde wütet, die Auswirkungen einer Lebensweise sind, die sich ausgelebt hat und dass wir alle Kräfte in uns mobilisieren sollten für ein besseres Leben. Und dazu gehört auch, dass wir uns nicht mehr hinter all unseren Masken und Rollen verschanzen dürfen, sondern Verantwortung übernehmen müssen, zuerst einmal für uns selbst.

Ich bin dankbar, dass ich noch die Zeit hatte, mich wieder meiner Ursprungsfamilie zuzuwenden, ahnte ich doch damals nicht, dass uns nur noch so wenig Zeit dafür bleiben würde. Umso mehr freut es mich, diese Zeit intensivst genutzt zu haben, und dass meine Eltern, wenn sie Weihnachten bei uns verbrachten, sich wohl fühlten in diesem unserem eigenen Leben und die Entwicklung ihres Enkels wohlwollend mit ansehen konnten. Und dann später, als Vater gestorben war, verbrachte Mutter sogar einmal längere Zeit bei uns, hatte trotz ihrer extremen Sehschwäche Mittagessen gekocht, wenn wir von der Schule nach Hause kamen. Sie musste sich allerdings auch eingestehen, dass wir »anders« lebten, offen für alle unsere neuen Bekannten, mit vielen Telefonaten und Verabredungen. Das sei ihr doch zu anstrengend, meinte sie irgendwann, als wir sie im nächsten Jahr wieder einluden.

Doch zwei Urlaubsreisen erlebten wir noch, zusammen mit Urs als unserem Chauffeur, natürlich mit Südtirol als Ziel. Und auch da ging es manchmal recht stressig zu, und nun war Urs der Vermittler zwischen uns beiden Frauen. Ich übte mich im Durchsetzen, eine Tochter von fast 50 Jahren, die es leid ist, nur durch ein Mienenspiel ihrer Mutter in Schuldgefühle zu geraten.

Es hat sich gelohnt und bei Mutters heftigem Ausbruch, wieso ich denn ein Sabbatjahr brauche, konnte ich ihr sogar ehrlich und aus ganzem Herzen sagen, dass ich es auch für sie brauche, dieses Sabbatjahr, um etwas mehr Zeit mit ihr zu verbringen. Dass ich so viel Zeit mit ihr verbringen würde, das ahnte ich nicht, und vor allem, dass es so ganz anders sein würde, eine Zeit mit der Erinnerung an sie, eine Zeit der geistigen Verbundenheit, nicht mehr behindert durch das, was die Realität uns so oft als Stolpersteine in den Weg wirft.

Auch Haris Mutter lernte ich in diesen letzten Jahren näher kennen und ich erfuhr und verstand mehr von Haris Leben. Als sie Weihnachten 2003 bei uns verbrachte, zwei Monate nach Mutters Tod, erzählte sie viel von früher, vor allem auch von der Zeit, als ihr Ehemann, Haris Vater, nicht mehr aus dem Krieg heimkehrte und sie erst später erfuhr, wie er gestorben war. Urs war sehr interessiert an diesen Geschichten von einem Großvater, den er nie kennen gelernt hatte und von dem es nur ein Foto als jungem Mann gibt. Auch über seinen Vater wollte er so viel wissen, wie er war als Kind, als Jugendlicher, und sie meinte, sie werde ihn »sich vorknöpfen«, wenn sie bald auch »da oben« ist.

Es waren auch anstrengende Weihnachtstage mit all diesen alten Geschichten und einer Mutter, die die eigenartige Lebensweise ihres Sohnes, der sie bereits im Alter von 17 Jahren verlassen hatte, nie verstanden und natürlich auch niemals akzeptiert hat, und ich dachte, dass es ihr letzter Besuch bei uns sein könnte. Vieles deutete darauf hin, auch wenn sie in ihrem Auftreten weiterhin die dominante Mutter blieb, keine Schwäche eingestehen wollte. Wir sahen uns nicht mehr wieder. Sie starb einige Monate später, an Ostern, allein in ihrer Berliner Wohnung.

Als ich mit Mutter in Berlin war, hatte es keine Möglichkeit mehr gegeben für ein Treffen; Mutter war zu hinfällig. Ich konnte sie nicht allein lassen bzw. ihr gar Extra-Touren zumuten. Wie merk-

würdig die Lebensfäden gesponnen sind, dass wir noch diese Berlinreise zusammen erlebten! Bei der Stadtrundfahrt erzählte mir Mutter, dass sie schon von all ihren Kassetten und Reportagen ein Bild in sich hätte, wie Berlin aussähe.
Während der Reiseleiter seine Geschichten erzählte und wir durch die Stadt fuhren, meinte sie, »ihr« Berlin, das sie sich nun innerlich ausmalte, sei bestimmt ganz anders als das, was ich sehe. Es war so schön mit ihr in dem Moment, als ich sagte, jeder sehe auch immer seine ganz eigene Wirklichkeit und auch für die Sehenden gebe es keine einheitliche Realität.
Am Abend dann war sie sehr schwach, sagte sogar lächelnd zu ihrem Bruder, der für die große Veranstaltung der Saison-Abschlussfahrt mit seiner ganzen Familie gekommen war, dass die Berliner Luft zu viel für sie gewesen sei. Als wir ausgestiegen waren am Potsdamer Platz, wehte tatsächlich ein solch kräftiger Herbstwind, und von dem Moment an war ihr ständig kalt, als habe der Sturm durch sie hindurch geblasen.
So viel hätte noch passieren können, doch irgendwie lief alles wie von langer Hand geplant. Zum Beispiel am Abend, als sie sagte, sie wolle sich ausruhen, ich solle allein zu der großen Abschlussveranstaltung gehen. Sie kannte das ja, war oft genug dabei gewesen, wenn all die Preise der Tombola vergeben werden, ein großes Rahmenprogramm aus Musik und Tanz den hunderten von Gästen geboten wurde.
Es war ein schöner Abend und innerlich dankte ich Mutter, denn ich konnte mich frei bewegen und sie hatte mir dieses Geschenk gemacht, denn es war der Zeitpunkt, da sie ständig auf Hilfe angewiesen war, das Unternehmen dieser Reise im Grunde längst über ihre Kräfte ging. Im Nachhinein weiß ich, dass sie bereits in dieser Nacht dem Tod sehr nahe war, gar nicht wusste, woher ich kam, als ich ins Zimmer trat, dann sehr unruhig schlief und doch nicht wollte, dass ich Hilfe holte.
Auch am nächsten Morgen war ihr Wille durchzuhalten stärker. Sie wollte keinen Arzt, und sie wollte auch nicht im Privatauto mit ihrem Bruder heimfahren, da sie glaubte, es im Bus

bequemer zu haben. Sie hatte es bequemer, doch irgendwann verständigten wir an einer Raststätte ihren Bruder, der ebenfalls auf dem Rückweg von Berlin war und uns dann an einer anderen Raststätte traf. Ständig hatte sie ihre sprechende Uhr abgehört: ein Klick auf den Knopf, sie hebt den Arm ans Ohr, die Zeit wird angesagt. Ich ahnte, dass ihre Zeit tatsächlich ablief und bewundere heute ihr Durchhaltevermögen. Ich bin sicher, dass diese Dinge geregelt werden vom Kosmos und sie genau dahin kam, wo sie ihre letzten Stunden, umsorgt mit Liebe, verbringen konnte.
Da war noch diese Situation, als sie am Arm ihres Bruders zusammenbrach und auf den Stufen am Bus sitzend auf den Krankenwagen wartete. Alle umsorgten sie, hüllten sie in warme Decken, da sie am ganzen Körper zitterte, und sie bekam so viel Zuwendung und Mitgefühl von all den Menschen, von denen einige sie von früheren Fahrten kannten. Sie bekam in den letzten Tagen und Stunden ihres Lebens das, was sie brauchte, um endgültig loszulassen. Während sie vorher nach Hause gewollt hatte, um dort erst ins Krankenhaus zu gehen, war sie willenlos, als sie dann gut versorgt im warmen Krankenwagen lag. Wie ein Kind schaute sie mich an und fragte: »Was meinst du?« So viel Liebe war zwischen uns, als ich entschied: »Ins Krankenhaus nach Bad Hersfeld«. Bad Hersfeld, die Stadt »mitten im Herzen Deutschlands«, wie ich später auf Plakaten lesen konnte. Und sie starb an den Folgen ihrer zahlreichen Herzerkrankungen.

Ob ihre Seelen sich dort kennen gelernt haben, wo sie nun sind: Meine Eltern, Hari, seine Eltern? Irgendwann werde ich es wissen ...

Erst beim Schreiben dieses Buches erinnerte ich mich daran, dass ich schon einmal in meinem Leben eine Abschlussfahrt nach Berlin unternommen hatte, und zwar damals in der zwölften Klasse. Nicht lange danach hatte mein Leben eine gravierende

Veränderung erfahren, der Aufbruch in ein so ganz anderes Leben, der Auszug aus dem Elternhaus. Auch diese Abschlussfahrt nach Berlin bildete eine entscheidende Wende, das Ende meines Lebens als Tochter. Wohin die Richtung nun geht, steht noch »in den Sternen«.

6
Wer war Hari?

Lange hatte ich überlegt, ob ich diesen Versuch einer Spurensuche mit anhängen sollte an meinen ganz persönlichen Lebensbericht. Ich habe mich dafür entschieden, wohl wissend, dass ich mir nicht erlauben kann, eine umfassende Antwort auf diese Frage geben zu wollen.

Da ist Manfred, Haris Cousin, der mir immer wieder sein »Archiv« angeboten hat, wenn ich irgendwann schreiben möchte über Hari. Er ist derjenige, der ihn am längsten kennt, seine Kindheit, seine Jugend, sein junges Erwachsenenleben, und er ist wohl auch derjenige, der sich am meisten Fragen gestellt hat über diesen so ungewöhnlichen Lebensweg. Er kannte Hari als ganz normalen Menschen, voller Ideen, mit künstlerischem Talent in unterschiedlichsten Richtungen, voller Rebellion zuweilen, doch eben ein Mensch mit seinen Ecken und Kanten. Was Hari wohl stets in seinem Wesen hatte, das war das Bedürfnis, die Aufmerksamkeit anderer auf sich zu ziehen, sie auch an der Nase herumzuführen, eine Verhaltensweise, von der seine Mutter zahlreiche Geschichten erzählen konnte.
Und dann erlebte Manfred die Zeit, als Hari versuchte, seine Mitmenschen zu »bekehren«, sie zu missionieren, sie zu einem anderen Leben zu bewegen. Es war auch die Zeit, in der die Kontakte weniger wurden, eben die Zeit, in der wir, »seine« Frauen nach und nach in sein Leben traten. Für uns war Hari von Anfang an kein Mensch wie jeder andere. Schon aus diesem Grund lernten wir sicherlich lange die Menschen gar nicht kennen, die ihn von

früher kannten, die in ihm nicht den »ganz besonderen« Menschen sahen. Er selbst wollte wohl damals dieses alte Leben hinter sich lassen und er traf auf uns, die wesentlich Jüngeren, die auch auf der Suche waren nach einem anderen Leben.

Ich will keine aufwändige Spurensuche betreiben. Das ist nicht mein Anliegen. Was ich versuchte, ist meine eigene Spur zu finden, das zu erkennen, was mich zwei Jahrzehnte mit einem Menschen verband, der auf das Leben vieler anderen Menschen so prägenden Einfluss genommen hatte.
Und so versuche ich das Bild zu zeichnen, das ich von Hari habe.
Manchmal verglich ich ihn mit einem Künstler, der für seine unterschiedlichsten Schaffensperioden jeweils passende Musen brauchte. Sicherlich ist an diesem Bild etwas Wahres daran, denn Hari war Künstler, auch wenn er niemals eine Ausbildung im herkömmlichen Sinne genossen hat. Er betätigte sich als Maler, Bildhauer, Schriftsteller, Musiker und es gibt jeweils bestimmte Anteile, die ihn mit den einzelnen Frauen verbanden.
Doch das, was ihn von anderen Künstlern unterschied, war zunächst diese absolute Abwehr dagegen, mit seiner Kunst nach draußen zu gehen, sie zu vermarkten.
Und dann war da auch dieser fanatische Eifer, ein großes Familienimperium zu schaffen, gleichzeitig zusammenleben zu können mit mehreren Frauen, die ihm Kinder gebaren. Das war dann in einer Zeit, in der er selbst bereits unterschiedlichste spirituelle Erfahrungen gemacht hatte, jedoch niemals bereit gewesen wäre, sich mit Menschen zusammenzutun, die vielleicht in einer ähnlichen Situation waren, einfach altersmäßig sich auf gleicher Entwicklungsstufe befanden. Er selbst ordnete seine Erlebnisse und Erfahrungen ein, beurteilte sie und suchte sich eine Art Gefolgschaft, der er dieses Wissen weitervermitteln konnte, Menschen vor allem, die ihn nicht in Frage stellten, ein ganz entscheidender Punkt.

Als wir alle dann zwanzig Jahre später in unsere ganz eigenen Lebensthemen zurückkehrten, war das sicherlich ein wesentlicher Schritt auf dem eigenen Entwicklungsweg: die Bereitschaft, sich selbst in Frage zu stellen. Nur davon werden die Kinder, die in solch ungewöhnlichen Familienverhältnissen den Start ins eigene Leben begannen, profitieren, von der Offenheit und Ehrlichkeit der Erwachsenen, die ihnen diese Basis damals geboten hatten.

Manchmal, wenn ich in den letzten Jahren aus meinem Leben erzählte, stellte mein Gegenüber die Frage: »Ja, und das war hier in Deutschland?« So ungewöhnlich ist dieser Anspruch eines Mannes ja gar nicht, aber doch nicht hier in unserer Kultur, und vor allem nicht in dieser Zeit.
Oder die andere Episode, die mir Katharina erzählte, als sie die Gemeinschaft verlassen hatte und erstmals andere Männer kennen lernte. »Die bekamen plötzlich leuchtende Augen«, meinte sie und wollten nur noch wissen, wie dieser Mann das denn geschafft habe. Auch ich habe das dann erlebt, andere Männer, die liebend gerne so ein Guru gewesen wären.

Für mich beinhaltet Haris Leben so viele unterschiedliche Facetten, dass ich darin wieder eine Bestätigung dafür sehe, dass wir heute häufig mehrere Leben in einem leben, mit solch unterschiedlichsten Lebensaufgaben konfrontiert werden, so viele Möglichkeiten in kurzer Zeit geschenkt bekommen, um zu wachsen in unserer eigenen Entwicklung.
Für sich selbst hat Hari es wohl nicht geschafft, mit dem Thema der Macht umzugehen und gerade in der Beziehung zu der Frau, mit der er dann seine dritte Ehe einging und mit der er zwölf gemeinsame Kinder hatte, kam er immer wieder an seine Grenzen, so als hätten sich beide getroffen, um in die tiefsten Schattenbereiche ihrer Seelen abzutauchen. So konnte er wohl mit den verschiedenen Frauen unterschiedlichste Lebensthemen durchspielen.

Da war als Erstes diese gleichaltrige Frau gewesen, die ihn in jungen Jahren kennen gelernt hatte, ihn mit religiösem Eifer zu verehren schien und dann fast zerbrach an dem, was Hari damals als »künstlerischen Wahnsinn« auszuleben schien: Bilder, Skulpturen, Schriften und immer wieder die absolute Abwehr dagegen, etwas davon zu vermarkten. Hari hat sich stets dagegen gewehrt, an die Öffentlichkeit zu gehen, eine Verhaltensweise, die ich heute ganz anders einordne als früher. Ich bin überzeugt, er wollte sich nicht wirklich dem Urteil anderer ausliefern, denn diese Gefahr besteht, sobald man mit seinem »Werk« zu den Menschen geht. Nach seiner eigenen Aussage waren Haris Werke nur für »das Göttliche« bestimmt, und die Bewunderer fand er dann in den eigenen Reihen, eben bei den Menschen, die ihn verehrten, vielleicht auch liebten oder einfach nur von ihm abhängig waren, treue Anhänger, die in sein Netz gerieten.
Doch auch Feinde hatte es gegeben, Menschen, die Werke von ihm zerstörten, ihn am liebsten selbst zerstört hätten, Menschen, die es nicht ertragen konnten, dass andere, vielleicht ihre eigenen Kinder, in Abhängigkeit von ihm gerieten.

Er wollte die Macht, wollte wahrgenommen werden, galt in seinem selbst geschaffenen Umfeld als unfehlbar, trat aber nicht wirklich in Erscheinung, wenn die Außenwelt an uns herantrat, so wie damals in dem extrem ereignisreichen Jahr 1982, als eine Reportage im Fernsehen gebracht wurde über diese eigenartige Lebensgemeinschaft. Treu erzählten seine Frauen vor der Kamera von diesem so ganz anderen Leben, das wir hier führten, klagten die Konsumgesellschaft mit ihrer unbewussten Lebensweise an und keiner wagte es, diese so eindeutig glorifizierte Lebensweise anzugreifen. Sogar von der befragten Dorfbevölkerung gab es mehr bewundernde als kritische Aussagen. Anscheinend hatte man sehr genau beobachtet »was die Frauen alles schaffen«, oft härteste Männerarbeit.

Die künstlerische Seite des Malens und Bildhauerns, die verband ihn mit seiner zweiten Frau, Katharina. Im Grunde sehe ich sie heute als die typische Frau »im Schatten eines großen Künstlers«, die ihr eigenes Talent lange nicht wirklich wahrnahm. Jede von uns Frauen hat diese Zeit im Schatten Haris erlebt, und doch hätte keine von diesen seinen Frauen in der Außenwelt als »schwach« gegolten. Im Gegenteil, es waren, abgesehen von dieser unglaublichen Bereitschaft, sich Hari unterzuordnen, starke Frauen, eigenständig auf unterschiedlichsten Gebieten und vor allem ganz besonders mutig, einen solch ungewöhnlichen Lebensweg einzuschlagen.

Dann war da auch Hari, der Musiker. Dies sehe ich als die Fähigkeit an, die wohl seine ganz besonders lichte Seite darstellte, diese Fähigkeit, aus selbst geschaffenen Instrumenten aus Eisen und Edelstahl die wunderbarsten Töne hervorzuzaubern. Stundenlang widmete er sich diesen Instrumenten und sobald eine seiner neuen »Harfen«, wie er sie liebevoll nannte, gestimmt war, gab es ein erstes Konzert. Andächtig saßen wir am Boden und schliefen leider auch oft ein bei diesen sphärischen Klängen. Diese Seite seines Wesens, die Musikalität, die teilte er mit Cornelia, unserer Musikerin, die aus einer Musikerfamilie kam und ihr Talent viele Jahre hatte brach liegen lassen, es dann aber rechtzeitig wieder aufnahm und weiter entwickelte. Ob es noch Aufnahmen gibt von diesen wunderbaren Harfen-Klangerlebnissen?

Doch all das war Hari zu einer Zeit, als er längst die Phasen durchlaufen hatte, in denen wir gerade gefangen waren, als wir ihn kennen lernten: die Suche nach dem eigenen Weg, die Loslösung vom und zuweilen auch die Rebellion gegen das Elternhaus.

Im Jahre 1955, als er im Alter von 17 Jahren sein Zuhause verlassen hatte, da war ich selbst noch ein Baby. Dass er dann sogar einige Jahre unweit von meiner eigenen Heimat lebte, sah ich später gerne als schicksalhafte Verknüpfung an, so als hätten wir uns schon damals kennen lernen können. Hari konnte zu solchen Themen auch wunderbare Geschichten erzählen, so wie die von dem kleinen Mädchen, das er damals gesehen hatte, als er mit dem Fahrrad durch Hofschweigen gefahren war.

Er hatte schon in jungen Jahren, wie mir Manfred immer gerne erzählt, stets »Flausen« im Kopf, so dann auch irgendwann die Idee, einen Kurzbesuch im damaligen Westberlin zu machen. Hari selbst war in Thüringen geboren und bald nach dem Krieg mit Mutter und Stiefvater nach Berlin gezogen, in den Ostteil der Stadt. Es gab ja noch nicht die Mauer damals, doch Hari ging auf die Militärschule, und den Besuch im Westen hatte er ohne Genehmigung unternommen, damals als 17-Jähriger. Ein Zurück war dann unmöglich, etwas was er nicht bedacht hatte – oder vielleicht doch?
Über die folgenden Jahre erzählte mir seine Mutter einiges, wobei es vorrangig um die Unmöglichkeit ging, den eigenen Sohn wieder zu finden. Zwar hatte sie irgendwann erfahren, dass er bei einem Onkel untergekommen war, doch das durfte niemand wissen. Sie wurde verhört, unter Druck gesetzt, hatte nur die Wahl zwischen den beiden Möglichkeiten: Hari zu verraten, ihn zurückzuholen, ihn somit wieder zu sehen, ihn damit aber auch »auszuliefern«. Was dann folgen würde, konnte sie sich ausmalen. Sie wählte die andere Möglichkeit: Sie »wusste« nichts und traf ihren Sohn zum ersten Mal wieder, als er dann selbst schon Vater war, verheiratet mit seiner ersten Frau, mehr als zehn Jahre später.

Im Grunde kann ich hier nur erzählte Geschichten wiedergeben, und sowohl Hari als auch seine Mutter erzählten jeweils etwas andere Variationen, denn beide hatten diesen Wesenszug, sich gerne darzustellen. Daher beschränke ich mich auf einige bekannte Fakten.

Oft wurde es mir zu viel, wenn Haris Mutter mir nach seinem Tod immer wieder Geschichten aus dieser Zeit erzählen wollte. Das war nicht der Hari, den ich irgendwann geliebt hatte. Das war ein anderes Leben gewesen, so empfand ich das und musste mir dann eingestehen, wie geschickt er darin geworden war, seinen jeweiligen Frauen genau die Seite seines Wesens nahe zu bringen, in der diese sich wieder fanden, wohin sie ihre Liebe projizieren konnten.

Für ihn, den Jugendlichen, der unter streng ideologischen Zwängen groß geworden war, bedeutete der Westen dann erst mal die ganz große Freiheit. Er unternahm ausgedehnte Fahrradtouren durch Deutschland, Frankreich, lernte eine ganz andere Welt kennen. Und er konnte endlich all das lesen, was ihn interessierte, all diese »verbotenen« Bücher. Neue Welten taten sich auf, sein hungriger Geist bekam endlich Nahrung.
Da sein Cousin bald darauf mit der Familie in den Westen übersiedelte, umgaben ihn auch familiäre Bande aus der Kindheit. Doch in erster Linie schien diese Zeit damals für Hari die endgültige Loslösung von seiner Herkunft zu sein. Er wurde ein anderer. Bei unseren letzten Gesprächen sagte seine Mutter gerne: »Der Westen hat ihn verdorben«, eine Projektion, die ich ihr im hohen Alter dann auch zugestand, schon deshalb, weil auch sie ein Mensch war, die »unfehlbar« blieb bis zu ihrem Tod. Widerspruch oder Diskussionen waren mir zu anstrengend, vor allem damals an Weihnachten 2003, bei ihrem letzten Besuch.

Hari war vor ihr geflohen, vor einer Lebensweise, die ihm keine persönlichen Freiheiten zugestand, und er entwickelte nach und nach ein System, wie man anders leben könnte. Was mich damals, neben all den geistigen Höhenflügen, Philosophien und Religionen betreffend, am meisten angezogen hatte, war diese Vorstellung, dass wir unseren Kindern eine ganz neue Lebensgrundlage bieten sollten, getragen von Liebe, Anerkennung, Freiheit. Ja,

darin waren wir uns sehr ähnlich, Hari und ich: Beide kamen wir aus einfachen Lebensverhältnissen mit klaren, jedoch sehr einengenden Strukturen, bei mir durch die Religion, bei ihm eher durch die Ideologie bedingt oder durch eine sehr materialistische Lebenseinstellung, und beide fühlten wir den Drang nach etwas ganz anderem, nach der Freiheit der Seele.
Heute denke ich, das Hauptproblem für Hari war, dass die Menschen, die ihn verehrten, es ihm so leicht machten, ihn nicht in Frage stellten und diejenigen, die es wagten, an ihm Kritik zu üben, konnte man dann leicht als die »Unwissenden« einordnen, diejenigen, die eben »noch nicht so weit« waren in ihrer Entwicklung..

Heute weiß ich, dass man unendlich viel wissen kann und doch erst die eigene Lebenserfahrung dieses Wissen »erdet«. Man wird immer wieder durch die eigenen Schatten wandern müssen, um sie mit dem Wissen zu erhellen, doch das ist kein Prozess des Denkens. Es ist ein Thema der Herzensbildung, der emotionalen Intelligenz, wie auch immer man es bezeichnen will. Ich bin überzeugt, Hari war damals, als wir ihn kennen lernten, an einem Punkt, bei dem es darum ging, all das Wissen in die Tat umzusetzen. Er war sich dessen auch bewusst, sprach darüber, dass ohne die »Erdung« keine spirituelle Entwicklung möglich sei, und genau das war der Punkt, der uns, die wir aus den unterschiedlichsten Bereichen kamen, anzog, uns miteinander verband: Wir wollten etwas Praktisches, wollten Spiritualität leben und uns nicht aus dem Leben zurückziehen (was wir dennoch taten). Wir wollten eine neue Lebensgrundlage schaffen für unsere Kinder. Wir wollten so viel und fanden die Bestätigung unseres Weges immer wieder in dem, was an Literatur zu diesen Themenbereichen auf den Markt kam. Natürlich ist es leicht, die Gründe zu finden für das Scheitern dieser großartigen Ideen. Von außen betrachtet, als Nichtbeteiligte, mag ein Urteil leicht zu fällen sein. Von innen her, für all die Menschen, die »dazu« gehörten, ist es eine ganz andere Sache.

Die größte Fähigkeit, die Hari besaß, das war wohl das Gespür für Menschen, ihre Schwachstellen zu erkennen, den Punkt ihrer Verletzlichkeit genau zu fühlen, wo sie erreichbar waren für ihn und ihnen dann das Gefühl zu vermitteln, wirklich gesehen und angenommen zu werden, der ideale Ausgangspunkt für subtile Manipulation. Die starken Seiten dieser Menschen konnte er dann oft recht gezielt nutzen, sobald diese Menschen sich in sein Netzwerk begeben hatten.

All dies sind nachträgliche Betrachtungen, ein Versuch, von außen diesen ungewöhnlichen Menschen zu definieren und doch glaube ich, dass es darum nicht wirklich geht. Worum es geht, das habe ich versucht, in diesem Buch zu erzählen: Für jeden geht es um seinen ganz individuellen Weg, das Aufspüren seiner ureigensten Aufgabe und das Annehmen all dessen, was uns das Leben bietet an Erfahrungen, an Beziehungen, an Erkenntnissen. Es geht um die absolut ehrliche Auseinandersetzung mit der eigenen Biografie. Hari war für mich genau das, was ich brauchte für meinen ganz individuellen Weg. Nur diese Antwort kann ich geben. Andere mögen andere Antworten haben.

Hari lebte nur noch wenige Jahre, nachdem die Gemeinschaft sich aufgelöst hatte, so als sei damit sein Lebenswerk beendet gewesen. Ich denke, für seine Kinder werden immer die Momente am wichtigsten bleiben, wenn er »ganz normal« mit ihnen spielte oder mit ihnen sprach. Für Urs jedenfalls ist das so, denn es gab auch Seiten, mit denen sie nicht so viel anfangen konnten, vielleicht er selbst auch irgendwann nicht mehr.
Jetzt wäre ich bereit gewesen, ihn danach zu fragen, doch jetzt ist es – erst mal – zu spät. Wieder mal muss ich warten ...

Was noch zu sagen bleibt ...

Ich bin wieder zurück in meinem gewohnten beruflichen Alltag, nach einem Jahr Auszeit und ich freue mich über all die vertrauten Gesichter, über die Normalität, in die ich zurückkehre, fühle mich voller Tatendrang und den Anforderungen, die auf mich zukommen, gewachsen.

Damals, vor mehr als vier Jahren, als ich Wilfried Merle in Venezuela kennen lernte und er mich auf die Idee brachte, ein Sabbatjahr zu beantragen, ich sofort begeistert die ersten Schritte dazu unternahm, dachte ich, es sei in erster Linie eine Möglichkeit, einmal für längere Zeit in diesem wunderschönen Land zu bleiben. Das war es auch, doch wie so oft im Leben erkennt man erst später die eigentlichen Zusammenhänge.

So wurde dieses Jahr mit all den wunderbaren Erlebnissen für mich vor allem eine Zeit der Reflektion, der Erinnerung auch und genauso ein Ausblick in die Zukunft. Die Menschen waren da, mit denen ich mich austauschen konnte, die Bücher, die mich bestärkten in meinem eigenen Buchvorhaben, Gespräche mit »Seelenverwandten« und bei all dem das überwältigende Gefühl, alle Zeit der Welt zu haben.

So bekam ich genügend Mut und Kraft, um noch mal ganz tief einzutauchen in die Vergangenheit, die ja niemals gelöscht ist aus unserer emotionalen Erinnerung, uns begleitet im jetzigen Sein; anstatt uns unbewusst immer wieder zu überrollen, können all die erlebten Momente so wohltuend ins jetzige Leben integriert werden, wenn man hinschaut, sich das Gewesene bewusst macht, die roten Fäden erkennt, die sich durch unser Leben ziehen, uns Hinweise geben auf unsere eigentliche Lebensaufgabe.

Ich danke all den Menschen, die mich in den letzten Jahren begleitet haben, die mir allein durch ihr Dasein und oft, ohne es zu wissen, Mut gegeben haben, diesen Tauchgang in die Tiefen der eigenen Vergangenheit zu gehen. Und natürlich danke ich ganz besonders denen, die mir ganz konkret in unterschiedlichster Form geholfen haben, dieses Buchprojekt zu verwirklichen.

Wichtige Bücher

Von all den Büchern, die mich in den letzten Jahren begleitet haben auf meinem Weg, möchte ich nur einige wenige hervorheben, deren Inhalte im Augenblick eine herausragende Bedeutung für mich haben – aus unterschiedlichen Gründen:

Dieter Duhm, Die heilige Matrix.
SYNergie Verlagsbuchhandlung, Belzig, 2001
Mit diesem Buch im Koffer reiste ich Anfang Oktober nach Venezuela und inzwischen hat es auch dort Freunde gefunden. Als ich es las, bekam ich so viel Bestätigung für das, was wir irgendwann einmal als gemeinschaftliches Leben realisieren wollten, auch wenn wir die Umsetzung noch nicht schafften. Ich bin begeistert von der Tatsache, dass es inzwischen Gemeinschaften gibt, die eine ganz neue Art des Miteinanders aller Geschöpfe zu leben versuchen.

Sabine Lichtenfels, Weiche Macht.
Perspektiven eines neuen Frauenbewusstseins und einer neuen Liebe zu den Männern, Verlag Berghoff and Friends, 1996
Ein wunderbar mutiges Buch, geschrieben von einer engagierten Frau, mit deren Gedankengängen ich mich größtenteils identifizieren kann. Es geht um ein radikal neues Miteinander in Liebe; sicherlich eine wunderbare Zukunftsvision, von der man sich nur wünschen kann, dass die Umsetzung nicht nur auf kleine Kreise beschränkt bleibt.
(Sabine Lichtenfels und Dieter Duhm sind Mitbegründer des »Heilungsbiotops« Tamera in Portugal, einer beeindruckenden Lebensgemeinschaft.)

Sabrina Fox, Die Sehnsucht unserer Seele.
Goldmann Verlag, 1999
Auch in diesem Buch erfuhr ich viel Bestätigung für meinen eigenen Weg und es tut gut, Menschen zu begegnen, die ihre eigene

Wahrheit mit-teilen, sie mit anderen teilen, um miteinander zu wachsen. Eine wohltuende Aufforderung den »Weg des Herzens« zu gehen.

Judith Orloff, Jenseits der Angst. Heyne Verlag, 1997
Auch hier geht es darum, seine eigene Wahrheit zu leben, ungeachtet des Befremdens, das man bei seinen Mitmenschen damit zuweilen auslöst. Es ist die Dokumentation eines Lebens, in dem die Autorin, selbst Ärztin, sich irgendwann nicht mehr davor verschließen kann, dass es mehr Dinge gibt »zwischen Himmel und Erde«, als unser Verstand zulassen möchte.

Colin C. Tipping, Ich vergebe. Kamphausen Verlag, 2005
Dieses Buch »fiel mir in die Hände«, als ich mein Buchmanuskript beendet hatte. Es war eine wunderbare Bestätigung dessen, was ich über all die Erfahrungen meines eigenen Lebensweges erkannt hatte. Am wichtigsten war mir dabei der Satz, dass wir keine menschlichen Wesen sind, die spirituelle Erfahrungen, sondern spirituelle Wesen, die menschliche Erfahrungen machen. Könnten wir das im Umgang miteinander immer beherzigen, wie sehr würde sich unser Leben verändern.

Eva-Maria Zurhorst, Liebe dich selbst und es ist egal wen du heiratest. Goldmann Verlag, 2005
Dies ist für mich ein wunderbares Buch über die Selbstliebe. Schonungslos deckt die Autorin all die Projektionen auf, mit denen man sich zuweilen aus einer Beziehung verabschieden möchte und damit im Grunde doch nur der Begegnung mit dem eigenen Schatten auszuweichen sucht.

Und dann gibt es diesen wertvollen »Reiseführer« durch das Land meiner Träume:
Margret Schlüter-Teichmann, Träume – Geschenke der Nacht. Verlag Windpferd, 2005

Bemerkungen zu einem erstaunlichen Lebensbericht

Ich lernte Frau Bolender zu einem Zeitpunkt in ihrem Leben kennen, an dem sie spürte, dass eine Veränderung unausweichlich war. Ihr Kräftereservoir war weitgehend aufgebraucht. Ihre Bereitschaft, ohne Rücksicht auf eigene Grenzen ihrem inneren Impuls zu folgen und der Sinnsuche in ihrem Leben jeden Vorrang einzuräumen, war letztlich keineswegs von Erfolg gekrönt. So gesehen war sie eine leichte Beute für charismatisch operierende Menschen.
Als sie bei mir mit der reinkarnationstherapeutischen Arbeit begann, war ihr Weg zu sich selbst noch lang und beschwerlich. Heute, im Jahr 2005, haben wir zu einem freundschaftlichen Verhältnis gefunden, nachdem lange Jahre dazwischen lagen, in denen wir uns nicht sahen.

Die »Reisebeschreibung ihres Lebens«, ausgehend vom Todesprozess ihrer Mutter, ist beeindruckend und beglückend.
Zwar beschreibt sie eine sehr übliche ödipale Grundsituation, wie sie in patriarchalen Gesellschaften programmiert ist: die Mutter übernimmt die Dressur der Tochter in die bestehende symbolische und konkrete Ordnung. Aber hinzu kamen die Erfahrungen der Elterngeneration: Kriegswirren und Verlust von Sicherheiten, Armut und das anstrengende Leben einer bäuerlichen Lebenswelt in einem Dorf, wo Zusammenhalt einerseits, aber auch kollektive Kontrolle andererseits und klare religiöse Regeln und Tabus als Lebensbasis vorherrschten; aber auch die Zeit »vor der Pille«. Ungewollte Schwangerschaften, destabilisierende Verhaltensweisen gefährdeten erheblich die Lebensgrundlagen früherer Generationen.

Die Erfahrungen des Krieges haben sicher dazu beigetragen, dass Frau Bolenders Mutter der Tochter einen Ausweg zeigte, den diese freudig annahm und der letztlich die Basis ihrer Suche nach sich selbst, aber auch ihre Möglichkeiten zu Experimenten

auf diesem Weg erst ermöglichte: eine solide Schulausbildung und ein Studium.
Auch der Vater unterstützte diesen Weg, so dass das »Experiment Leben« für Frau Bolender möglich wurde. Ihre große Liebe, mit der sie bei sich blieb und doch ihre Herkunftsfamilie immer wieder neu aufsuchte, hat sicher auch mit dem inneren Wissen zu tun, dass die Eltern selbst ihr den Weg weg von deren Welt ermöglicht haben.

Aus spiritueller Sicht ist es kein Zufall, dass Frau Bolender bei ihrer Sinnsuche zunächst in den Gegenpol ihrer Familienerfahrung geriet und das auf so bizarre Weise, dass letztlich auch hier der Weggang aus dieser neuen Abhängigkeit angelegt war. Nach dem Gesetz der Polarität liegt der Punkt zwischen den Polen – der »goldenen Mitte«. Dieser Punkt aber ist gefährlich, denn hier spinnt sich der Faden unserer einmaligen Entwicklung und der kann auch eine Straße abwärts bedeuten.
Zweifellos ist es die Herzqualität mit all ihren Sehnsüchten und Leiden, die uns immer wieder zu diesem Punkt führt. Frau Bolender ist diesem Herzensweg gefolgt und hat dadurch den Schutz erhalten, der sie letztlich den Fallen der Vereinnahmung hat entkommen lassen, ohne im Illusionären zu scheitern.
So wurde ihr die Erfahrung geschenkt, dass sich reine Liebe oft erst im Angesicht des Todes leben lässt; dass zeitgebundene Erfahrungen sich auflösen und die Essenz einer Beziehung aufscheint. Oft ist auch dies nicht möglich. Nicht alle Menschen erreichen eine Stufe der Verwirklichung, die beiden Seiten einer Person gerecht wird. Damit meine ich, dass Frau Bolender zu dem Zeitpunkt, als sie den Todesprozess ihrer Mutter begleitete, in sich selbst und in ihren ganz neuen Anschauungen und Erfahrungen so gefestigt war, dass sie großzügig selbstlose Liebe schenken konnte und doch keinerlei Verdrängungen oder Idealisierungen dazu benötigte.
Möglicherweise kündigt sich an der Schwelle ihrer Erfahrungen die Suche nach einem Lebensmodell an, in dem kollektive Ver-

antwortung und individuelle Freiheit einen neuen, nie gekannten Bund eingehen werden, dies im Wissen, dass dafür die Zeiten reif sein müssen.

Selten habe ich einen Menschen kennen gelernt, der wie Ursula Bolender mit letzter Konsequenz Verantwortung trug, selbst noch für andere. Heute erlebe ich sie als eine starke, strahlende Frau, die ihre Mitte lebt und das heißt auch, dass sie sich zwischen Abenteuern, Experimenten, neuen Denkmodellen und einer kraftvollen Lebensweise auf der Basis ihres Berufes leicht und schön bewegt. Sie ist immer offen für neue Fragestellungen und entscheidet dann souverän, was sie in ihr Leben integriert. Das macht es leicht, sich mit ihr auszutauschen. Es scheint mir, dass sie mitten im Leben ihr Leben, wie sie es zu gestalten hatte, hinter sich gelassen hat und vor einer ganz neuen Weite steht, wie sie üblicherweise erst mit einer neuen Geburt möglich wird.

Ich wünsche sehr, dass ihr ehrlicher und daher so berührender Bericht viele Menschen erreicht; dass er ihnen Mut macht, nicht aufzugeben, sondern ihre Prüfungen als Hinweise zu erleben, auf eine einmalige Spur in ihrem Leben zu stoßen, die sich hinter unseren Erlebnissen und Versuchen verbirgt.

Heide Kraus — Frankfurt am Main, im November 2005

Ebenfalls bei TRIGA – Der Verlag erschienen

Gislinde Maxeiner

Bambina

Roman

Dies ist die Geschichte von Anna-Maria, von ihrem Vater liebevoll »Bambina« genannt. Als ihre Eltern auf einer Reise nach Italien bei einem tragischen Verkehrsunfall ums Leben kommen, ist Anna-Maria gerade erst 16 Jahre alt. Fortan schuftet sie praktisch Tag und Nacht, um sich und ihren Bruder Pietro auf dem Hof der Großmutter, die die beiden Kinder des „Italieners“ hasst, durchzubringen. Sie geht eine Ehe mit einem ungeliebten Mann ein, der sie erpresst, weil er etwas vom geheimnisvollen Verschwinden der Großmutter ahnt und bekommt ein Kind aus einer Liebesbeziehung mit einem anderen Mann.

Wie sie eines Tages aus der Ehe ausbricht und mit dem gesamten Vermögen ihres Mannes in einer großen Stadt ein neues Leben anfängt, das Hotel »Albergo Bambina« zu einer Nobeladresse macht und schließlich doch alles wieder aufgibt, um in Portienza, der Heimatstadt ihres geliebten Vaters, ihren Frieden zu finden und den Mann ihres Lebens zu vergessen, das erzählt Gislinde Maxeiner spannend und mitreißend in ihrem neuen Roman »Bambina«.

13,80 €. 24,90 SFr. 406 Seiten. Pb. ISBN 3-89774-475-9

Ingeborg Hoffmann-Sagebiel

Simone Sommer

Erzählung

Simone Sommers Kindheit in Berlin ist unbeschwert und wohl behütet. Ihre Eltern sind verständnisvolle Begleiter durch ihre Schulzeit und die Jungmädchenjahre. Simone sammelt neue Eindrücke und Erfahrungen auf Reisen und während des zu dieser Zeit vorgeschriebenen Landeinsatzes auf einem Bauernhof.

Nach Kriegsende lernt sie Franz kennen, den sie heiratet. Die Zwillinge Hanna und Jonas werden geboren. Simone genießt die Jahre mit ihrer Familie, beginnt aber auch ihre eigene Zukunft zu planen. Sie entdeckt ihre Leidenschaft für das Schreiben. Herr Schopenhauer, ein Buchhändler, ermuntert sie Seminare zu besuchen. Simone plant ihr erstes Buch ...

Ingeborg Hoffmann-Sagebiel gelingt nach ihrem erstem Buch »Lisa Lissum« mit »Simone Sommer« erneut die explizite Beschreibung des Lebensweges einer Frau, der zur inneren Teilnahme und Identifikation einlädt.

8,50 €. 15,80 SFr. 102 Seiten. Pb. ISBN 3-89774-468-6